現代日本の思想の全景

白いお城と花咲く野原

見田宗介

Mita Munesuke

河出書房新社

白いお城と花咲く野原——現代日本の思想の全景　目次

『朝日新聞』論壇時評欄（一九八五年一月〜一九八六年十二月）に掲載された。

白いお城と花咲く野原——現代日本の思想の全景

現代社会の自己表現——「論壇」の解体・変容

一九八五年一月二十八日

一九六〇年代、一九七〇年代、一九八〇年代にそれぞれ一度ずつ、新聞の「論壇時評」という仕事にかかわることになった。そしてそのたびに論壇時評という仕事が、確実に困難なものとなってきていることを感じる。そして今日では、ほとんど不可能といってもいいだろう。そしてこの「論壇時評」の困難さ、あるいは不可能ということ自体のうちに、現代日本の思想の情況ともいうべきものの特質が、まずそのようなかたちで姿をみせているように思われる。

一九六〇年代の前半ころには、「論壇」という実体がりんかくをもって、たしかに存在するもののように、多くの人びとにはみえていた。『世界』『中央公論』『展望』あたりが中心的な「論壇雑誌」としてあって、その上下、左右、前後いずれかの距離をとりながら、『文藝春秋』『現代の眼』『思想の科学』『日本』『思想』といった雑誌があるという星座がかたちづくられていて、八冊か九冊の雑誌を読んで時評を書くことさえできた。
七〇年代のなかばにはもう、情況は今日の方に近かった。七六年の『読売新聞』論壇時評で「論壇の終焉」ということにふれてわたしは、つぎのように書いた。「『世界』とか『中央公論』の巻頭で学者や評論家が『今こそ国会へ』といった大号令をかけるという六〇年安保までの時代は終わった。時代をひらく思想はむしろ、分散する中小メディアの中にみられる。『論壇』が生活の思想の頭上に『壇』として存在するという虚構が消滅したことは、七〇年代のたしかな獲得物のひとつだ。」（一九七六年五月三十一日夕刊）
今回時評をかくにあたって新聞社から送ってくれると約束した雑誌のリストは三十冊をこえるけれども、その中にさえ、たぶんこの仕事を限定することはできないだろう。『is』（ポーラ文化研究所）とか『調査情報』（TBS）とか『水俣』（水俣病を告発する会）とか、『広告批評』『技術と人間』『80年代』『平凡パンチ』『暮しの手帖』『クロワッサン』などのすぐれたPR誌、業界誌、運動誌、専門誌、情報誌、男性誌、女性誌、生活誌などに、いわゆる「総合雑誌」よりも核心にふれる現代社会論をみることができることもある。たとえば吉本隆明が文学の現在というものを求めて、少女マンガやポピュラー・ソングや広告のコピーの中にまで視界をひろげてゆくほかはなかったこととおなじに（『マス・イメージ論』福武書店）、思想の現在なり、現代社会の核心的な自己表現なりその理論的な解明なりの最前線を、わたしたちはいま、純文学ならぬ「純評論」の内にだけ求めることが、ほとんど意味をなさないという現在にいる。

このことをはじめに確認しておいたうえで、今回は初回だから、まず伝統的な「論壇」の中心部分からとりあげてみよう。


大江健三郎が『世界』(二月号)に書いている「この項つづく」は、一年にわたって連載された「再び状況へ」というシリーズの完結編であり、同時にまた、おなじ岩波書店から昨年末に創刊された『へるめす』という季刊誌の編集同人としての、出発の感懐の一端でもある。つまり今日の「論壇」メディアの情況の、ひとつの結節点をなす文章である。

この文章の全体から、つまりそのメッセージとよく合致した文体との双方から、わたしたちに伝わってくる基礎的な気分ともいうべきものは、ひとつの陰々滅々たる世界感覚のごときものである。文中に引用されているエリオットの詩の最終部分

これがこの世の終わり方
これがこの世の終わり方
これがこの世の終わり方

バーンとでなく、めそめそと

というくりかえしは、四十年前の広島の空をおおった〈核の傘〉のように、この文章の全体をおおいつくしている。

この文章は、「原爆被害者援護法」の制定を求める運動、という具体的な行動を核に、これを現代の普遍的な問題として思想化する方向に深められている。その粘性の倫理ともいうべきものが、わたしのような乾性の反倫理的な人間までをもあらがいようのない力をもって、暗澹たる世界認識のうちにひきずりこんでゆく力をもつのは、それがわたしたちの〈明るさ〉の切り捨ててきた、死者たちや障害者たちの無念を、わたしたち自身の未来として、そして現在の真実として、提示しているからである。四十年の間拡大しつづけてきたし、今も拡大しつづけているあの〈核の傘〉におおわれた現代世界の、人工照明のような「明るさ」が、真実の太陽の下の明るさではないのだということを、この作家の想像力が正当に感受しているからである。

けれども大江の文の〈暗さ〉は、このことだけに起因しているのだろうか。大江はこの文章のおわりに、こんなことを書きつけている。「……そしてそのつづき具合は、自分につながる死んで行った人々との関係においてはより明瞭に、新世代へのそのつなぎ方についてはより明瞭でなく、いまの僕に自覚されるのでもあります」。過ぎ去った世代たちとのつながりはよくみえているが、次に来る世代たちとのつながりはよくみえていないという、視野障害の暗がりのような感覚は、他の個所でもくりかえしもらされている。

わたしは『世界』という雑誌が、いつ、どのように変身するかということに興味をもってみてきた。みているうちに十五年がたってしまった。結局『世界』はじぶんが変身することはやめて、『へるめす』という子供を生みおとすことにきめたのだというふうに、昨年暮れの時点では理解していた。しかし『へるめす』の編集同人の中でも一番若い大江が、このような心許なさでいるのでは、『へるめす』もまた次の世代というより、次の世代へと向けられた使者（ヘルメス！）のごときものなのだろう（それはそれでももちろんいいのだが）。

引用されているエリオットの詩の一節は、「これが世界の終わり方」と訳すこともできる。それはもちろん悪い冗談で、今日では希少になってしまったこの良心的なメディアのひとつの蘇生をこそわたしはねがっているのだ。良心的であることが良心的であることに居座って安住するかぎりそれはひとつの非良心であり、あえて過激にいうならば、時代の青年がむさぼり読むものでなければ論壇雑誌の意味などないのだ。

現代の陰気な良心たちのペシミズムに耳をふさいで、死者たちや弱者たちを切り捨てたところに成り立つ現在の「明るさ」の虚構に逃げ戻ることによってではなく、ペシミズムをつきぬけた向こうのところに、死者たちや弱者たちや、未だ生まれてこないすべての世代と共に生きるということを、もういちどひとつの明るさとして見いだすことがもしあるとすれば、それはわたしたちが、どのような感性と理性を獲得することができた時なのだろうか。

現代の死と性と生――フェミニズムとエコロジー

一九八五年一月二十九日

八四年末のインドとメキシコは、いずれも数千の死傷者と数十万の被災者を出した大惨事に見舞われている。十一月十九日メキシコ市郊外の天然ガス・プラントで起きた爆発事故と、十二月二日インドのボパールで起きた、米ユニオン・カーバイド社の子会社の農薬製造工場の、有毒ガス流出事故である。『技術と人間』一月号の特集「続発する大惨事の実態」と、西川潤「日常化した『天災』」（『世界』二月号）は、それぞれ技術的、社会科学的な側面から、これらの事故の実態と背景を解明している。

西川はこれらの事故の共通点として、「一、第三世界の急速な近代化の過程で人権を二の次にした資本蓄積が、今日の災害を生んでいること。二、利潤を優先する巨大企業、多国籍企業にとって、安全管理や環境保全がつねに後回しにされ、それが災害を大きなものにした。三、災害の犠牲者が主として、貧困者、低所得者層であり、その数も莫大にのぼること」を挙げている。たとえば「ユニオン・カーバイド社は、アメリカの工場にはコンピュータ制御の安全管理装置を配置しているが、インドの工場にはこのような設備を設けず」、インド州政府の技術専門家も従業員もその危険性について詳しい内容を知らされていなかった、等。

この共通点はまたアフリカの自然生態系を破壊し、周知の数千万の飢餓人口を生み出している。熱帯食糧や農薬輸出（『技術と人間』戸田清論文）等をとおして、「先進国の豊かな食卓が、貧しい国の飢えによって維持されているということはけっして誇張ではない」と西川は指摘している。

これらの論稿が、現代社会がその外縁に顕在化する死の構造を解明しているとすれば、吉本隆明「現代における〈老い〉と〈死〉」（『春秋』一月号、春秋社）は、現代社会がその内面に潜在化する死の問題を追求している。非現代社会において死者たちのゆくえにあった〈他界〉は、現代ではどのようなかたちであるのか。「もしないとすれば、ないことによる問題はどういうところに出てきているのか。」（きき手・芹沢俊介）ということが問われる。

富岡多恵子が『藤の衣に麻の衾』（中央公論社）の中で、家族の解体という方向に議論を進

めているこ とにたいして、吉本は「身障者ということでなければ、富岡さんのいうこともまた、それもいいじゃないかと」思うとのべたあとで、しかし身障者の問題は本当は普遍的な問題で、老いるということはだれでもが身障者になるということなのだと語り出している。

この対談は今月刊行の『対幻想――n個の性をめぐって』(春秋社)という書物の一部であるが、性の問題は、身障者の問題、老いと死の問題、子供の問題といったものをもし捨象して、自立することのできる男女の間だけで考えることができれば、相当歯ぎれのよい解放の方向も可能だけれども、それはどこかに空転があるのだろうということを、吉本はおさえているのだと思う。

『思想の科学』(一月号)の特集「男らしさのゆくえ」をみると、これらの問題を切り捨てた「男らしさ」から、これらの問題をつつみこむ「男らしさ」のようなものへと、それぞれの模索を開始している。

この対極に『現代思想』(一月号)は、「『フェミニズム』以後――女性原理を超えて」という特集を組んでいる。この中で上野千鶴子が、イヴァン・イリイチの新著『ジェンダー』(邦訳・岩波書店)に対する、フェミニストとしての「徹底批判」を行っている(「女は世界を救えるか?」)。

ジェンダーとは文化の中での男女の「対照的補完性」である。イリイチによるその論証が、男と女は「異質であるが対等である」という立場に支持されているのに対して、上野はそもそも異質性を強調すること自体が、フェミニズムにとって危険なものであるとして反対している。男と女が〈異質なものとして対等である〉というイリイチらの前提自体は、基本的にまともなものだとわたしには思われるのだが、「ジェンダー」論その他にみられるイリイチ派の論の立て方の粗雑なところ、曲解を招きかねないところを、上野は鋭く、かつ的確についている。イリイチという、粗雑だが洞察力にあふれる巨人の〈可能性の中心〉を活性化してゆくためにも、イリイチ派の人びとはこの挑戦にきちんと対応し、必要なところではイリイチ自身の所説をものりこえながら、理論を明晰化してゆくよすがとするべきだろう。

現代の思想の前線の中で、エコロジーと女性解放の運動が、たがいに分断され敵対し合うことになるのだとすれば、不幸なことだ。高見の見物をしている陣営を利するだけである。女性解放に敵対するような「生態系」論の曲解悪用も、エコロジーに敵対するような「フェミニズム」論の不毛も、共に明確に退けられなければならない。

男と女という二つの性だけがあるのではなく、蒸気機関車も馬も太陽も性である。n個の性があるのだとドゥルーズ＋ガタリはいう（『リゾーム』邦訳・朝日出版社）。この意表をつく発想への批判的応答として、吉本の『対幻想』は展開されているのだけれども、このような（n個の性という）論理の発想される背後に、フランスの現代社会のいちばん深いところでの、家族の解体という情況を吉本は嗅覚している。

　性愛をめぐる分野で語られることの全体について、わたしが感じつづけてきたことを、『対幻想』の著者はその冒頭で言ってのけている。

「恋愛は論じるものではなく、するものだ。とおなじように性にまつわる事柄は、論じられるまえに、されてしまっていることだ。」だからこの分野の世上の論議は、大なり小なり歯ぎれが悪いし、歯ぎれのよい論議はきまってうさんくさくみえる、というじじつである。

　それは吉本のかんがえるようにこの領域に個有の本質にまつわることなのか、それとも核心にふれる問題が、どんな通念からも自由なかたちではようやく提起されはじめたばかりだという、思想の現在の強いる青くささのようなものであるのか。

　イヴァン・イリイチの解放理論を、建設的な方向に批判しのりこえてゆこうとするこころみは、アンドレ・ゴルツの最新の仕事「エコロジー共働体への構図」にもみることができる

(『技術と人間』)。マイクロ・エレクトロニクス革命を中心とするテクノロジーの進展の結果、今世紀末には、社会的に必要な労働を仮に健康な全人口で平等に分担すれば、一人当たり生涯二万時間ほどとなる。労働人生を四十年とすれば週十時間、つまり五時間ずつ二日必要労働をすれば、週五日を自由な活動に活用できる。社会のシステムを利潤本位ではない仕方で再編成することができればである。そのためにゴルツは、最小限の計画生産と最大限の自律活動とを原理とする、立体的な社会システムの構想を提示している。それはそれじたい具体的な批判・検討の素材に供されるべきものだが、テクノロジーの進展一般を敵視するのではなく、これに流されるのでもなく、テクノロジーの進展を人間の解放のために編成し使いこなしてゆこうとする正気のこころみの、ひとつをそこにみることができる。

ピラミッドと菩提樹——現代科学技術の思想

一九八五年二月二十五日

この三月十七日から六カ月の間、筑波研究学園都市で国際科学技術博覧会、通称「科学万博」が開かれる。『エコノミスト』二月四日臨時増刊号はこの万博を特集している。

竹内啓「現代の科学技術と時代精神——ピラミッドをどこまで超えられるか」は、豊富な示唆に富む論文である。パリのエッフェル塔が一八八九年の万国博に作られたことはよく知られているが、それがほぼ同時期からの近代オリンピックの、記録への情熱のごときものとも呼応しながら、長大重厚なモノに向けられたひとつの時代精神の表現であることをふまえた上で、今日の科学技術の標語である「軽薄短小」へとそれが転回するみちすじを跡づけている。それはピラミッドからケルンの大聖堂をへてエンパイア・ステート・ビルディングに至るひとつの不遜な文明の臨界点に、人類が立っているということでもある。

万博の基本構想の立案者である下河辺淳が石井威望との対談（「新たな科学技術の展開を」）の中で、「半年で壊す建物論」にふれて語っていることともそれは呼応している。万博の立派なパビリオンは半年後にこわされる予定のものだが、考えてみると、永久に残そうという建築の方が「虚偽的」であり、仮設の建築こそが本物ではないかという考え方だ。消滅しないものを地上に刻印しようとする欲望の方が、ひとつの異様な文明の系譜の表現であったかもしれないのである。このことは最後にみるように、人間が「住む」ということの意味をあらためて考える上で、示唆的である。

山口昌男「万国博の匿れた水脈」も、相変わらずの博覧強記の一端を楽しく展示している。巻末の討論「人間にとって科学技術とは何か」では、「人類が宇宙へ出る技術を獲得してはじめて、瀕死の地球の姿を映像的に確認した」という事実を基礎に、討論それじたいの提題がのりこえられて、「人間の、人間による、人間のためだけの利益、または快適空間」を求めつづけてきた結果への反省（今野由梨）によって結ばれていることは、象徴的である。

科学技術のこのような「メダルの裏面」を、豊富な具体的事実の検討をとおして全面的に考察したのが、『世界』の読みごたえのある特集「地球汚染――蝕まれゆく人間」である。

昨年十一月十五日朝、海上では米仏海軍に護衛され、空からは米人工衛星の監視の下で、二五〇キロのプルトニウムが東京港に陸揚げされ、市街をトラックで輸送されていた。「世界の人口を殺せる位」の毒性量であり、半分に消滅するのに二万四千年を要する物質である（青野聡・高木仁三郎「二万四千年の憂鬱」）。某原発の排出物である。「絶対にもれを起こさぬ」という非現実的な前提で認められた輸送であるが、たとえば十二月十一日には名神高速で核燃料輸送車隊に大型トラックが接触する事故が起きている。第一にこの情報過剰時代に、生死に関わる肝心の情報は市民に知らされていないこと、第二に高度の危険物質の貯蔵や輸送が、息づまる管理社会を強いること、第三に最も恐るべきことは、国民がこの恐ろしさに慣らされて不感症・低感症になることであると、これらを高木は指摘する。

　立川涼「化学物質に囲まれた時代」は、食品添加物、化粧品、農薬、医薬などの身の回りの化学物質について、その多くがアメリカの専門機関においてさえ毒性評価の「データなし」であるという調査を報告している。立川はまた、一九三〇年に生産開始されたPCBによる汚染が指摘されたのは一九六六年であるという事実に注意を喚起しているが、原剛「緩慢な死と恐怖の遺産」も、ニホンザル奇形の多発の原因となった農薬の使用禁止や、ガムなどのチクロの奇形障害による禁止が、いずれも幾年もの使用の後に行われていることを指摘している。現在使用されている化学物質の毒性が後年になって明らかになることがありうるわけである。

これらをふまえて藤原邦達（「食品添加物――安全性とは何か」）は、次のような積極的な提言を紹介している。第一に毒性の明らかなものだけを禁止する現在のやり方でなく、安全性の明らかなものだけを許可する方式に改めるべきこと、第二に少なくとも安全、有害の表示の他に、現状では不明のものには「？」マーク等の表示を付すること。

原剛はまた、冷房車、保冷車の普及にともなう自動車、列車のディーゼル化と、大都市圏の肺ガン患者の急増との関連を警告している。

石弘之（「第三世界に売り渡される汚染」）は立川とともに、ジャカルタ湾の「水俣病」や南極ペンギンの農薬汚染（！）など、全地球的な汚染の実情と、それが食糧輸入等をとおして、先進国自体の身体にはねかえる「ブーメラン効果」（自業自得の連環）を指摘している。

『エコノミスト』前掲特集の「人間と居住」と題するシンポジウムで、スリランカのアリヤラトネが、こういう一見場ちがいであるかのことを語り出している（「人間が住むことの本質的な意味」）。ブッダの生涯の三つの決定的な出来事は、いずれもブッダの「家」の中でおこったことではない。誕生はカピラヴァスツの花園で、入滅はクシナーラの果樹園で、そして悟りを開いたのはブッダガヤーの菩提樹の下である。アリヤラトネはこのことを語ることをとおして、ピラミッドからエッフェル塔をとおして原発―核シェルター文明に至る「狂気」の総体にたいして、人間が自然の中で「住む」（live＝生きる）ということのただ単純な本質をあらためて提起しようとしている。

石井（前掲対談）によれば、座禅やヨガという「神秘体験」の一端において、体内にエンドルフィンという物質が分泌されているということが解明されつつあるという。また下河辺によれば、民族音楽の体験において、耳を通じない音の伝達が非常に重要な感動の要因であるということが、立証されつつあるという。耳できこえる音だけを録音して聴いてもつまらないのだ。

これらのことは石井のいうように、事実あることにたいしてまず謙虚であるということをわたしたちに教えてくれる。それは、「神秘的」といわれてきた事実を解明するための、いっそうソフトな理性の展開を予兆するものでもあるが、それよりももっと根本的に、人間の理性というものが今もなお、そしておそらく永久に、存在の海辺にたまたま打ち上げられた貝のかたちをいつも新しいおどろきをもって観察する少年の知のごときものにすぎないだろうし、それでよいのだ、そのことを自覚していることだけが大切なのだということを、わたしたちに示しているように思われる。

「新しさ」からの解放――ミーハーは前衛を脱ぐ

一九八五年二月二十六日

『広告批評』二月号（マドラ出版）は「ミーハー大研究」を特集している。福田定良「ミーハーの哲学」によれば、戦前の松竹蒲田映画のファンを中心に成立したミーハーは、もともと幾分か知的な現象であるのだが、現代の学歴型管理社会の浸透とともに「子どもまで堅気くさく」なると、チューブで下から押し出されるように、受験勉強から解放された大学生活だけがミーハーの「最高で最後の楽園」となる。「最近のミーハーが知的であるのは当然」である。

横沢彪・天野祐吉による対談をはさんで、浅田彰・川崎徹・糸井重里・高橋源一郎・橋本治という当世五人男によるミーハー・シンポジウムが続く。この中では川崎徹の、テレビの害についての講演が他を圧している。川崎はミーハー固有の声域に、もう一オクターブ渋いミーハーをのせるという戦略によってみごとな複音を演奏しきった。

川崎徹はニューヨークと東京と大阪のデータを比較しながらニューヨークはやはりすすんでいると結論しているのだが（なんだつまらぬ結論だ。と思う人は直接講演の記録を読まれたい）、いやニューヨークより東京の方がすすんでいるのだと真面目に論じているのが、川本三郎「ハイテクノロジーの都市東京にセピア色の過去をみた」（『中央公論』三月号）である。どちらが「すすんで」いてももちろんいいのだが、川本のいう「レトロ感覚」（「古いものこそ新しい」）は、ミーハーの今日として確認しておくことができる。それはおそらく復古趣味とかは全然異質のものであり、〈古いもの／新しいもの〉という対立を空間的な差異に還元してしまうことで自在に往来する精神の、ゆらぎのたまたま一端をとらえた位相といったものだろう。このゆらぎの自在さこそをみるべきなのだ。

そして同時にこの自在さへと向かう芽が、古いもの「こそ新しい」という文型のうちにあらかじめパックされていることをとおして、現代のコマーシャリズムの強迫装置（「いま×××こそ新しい」！）の内にまたしても回収されてゆくところもまた確認しておくべきだろう。

東京自体の内部については、吉見俊哉が「現代都市の意味空間／浅草・銀座・新宿・渋谷」（『思想』二月号）で、この四つの都市空間の性格を鮮明に対比している。

おなじ『中央公論』の蓮實重彥「〈前衛〉という名のモードを脱ぎすてることができるか」

は、川本のふれているよりもあるいは一層「知的」なミーハーの水準で、同様に「新しさ」という価値の解体を告知している。川久保玲とかノブオ・イケダの服飾の話として切り出しながら、蓮實はこの雑誌の一月号の、浅田彰と吉成真由美の二つの文章の対比の上に、刺激的な問題をまず提起する。

たとえば蓮實は浅田彰の立場からみて、吉成真由美の文章「乱数系が生み出す美の構造」が、「反動的」であるという。つまり蓮實の読者は唐突に、このセピア色の形容詞から、〈前衛〉を名のるひとつの政党機関誌の語彙の世界につれ戻される。これは偶然か？　浅田彰と日本共産党とのあいだに類似する何かがあるのか？　それこそが蓮實の主題だ。

浅田の論文「ポストモダン・サイエンスの条件」は、こういう公式のくりかえしである。――〈文学〉は「反動的」だ。ヒューマン・サイエンスは「反動的」だ。ニュー・サイエンスも「反動的」だ。つまり人間のための科学を考えるのは「反動的」だ。東洋思想と科学との調和や統合を語ることも「反動的」だ。ただ〈サイエンス〉だけが「新しい」――という平板な公式である。

こういう仕方で〈文学〉にも人間にも東洋思想にもの
ることを禁じてしまう思考は、それを説く人も、それを信ずる人たちもひどく不自由にしてしまう。それは端的に抑圧的だ。つまり

「時代の流れ」というつまらぬ物神の強迫のもとに、わたしたちの思考と行動の自在を抑圧する図式である。

『広告批評』のシンポジウムで、浅田の発言がいちばんシラケてイヤミであることは読めばわかるが、それは半分は浅田自身が意識してとった戦略である。浅田は始めから「シラケている」ことを誇示する身ぶりによって、「ミーハーというのは、さっきの文学からサイエンスへという話でいうと、まだ文学の人なんですね。」これからは「ニュートラル」の時代であるという公式をこの場でも主張している。〈スキだ〉人間から〈スキゾ〉人間へというわけだ。つまり浅田の党派性が、糸井や川崎のようにその場にのりきって楽しむことをじぶんじしんに禁止している。蓮實が〈前衛〉論文で批判するのは、みずからの言説によってからめとられてしまった人間の不自由である。「〈サイエンス〉の一語によって〈人間〉の解体をうながす無彩色の戯れに固執する浅田彰の暗さ……」「浅田的言説が批判せざるをえなかった川久保玲的な前衛性を、吉成真由美は軽々と自分の世界にとりこむ。」「前衛批判を試みる前衛という物語……。」（新左翼の話ではない。）

ただし浅田の『ヘルメスの音楽』（筑摩書房）という新著は、こんなパラノ的スキゾ主義からは自由で、とても爽快だ。このことを付記しなければ公平でない。『構造と力』の序章の、あのこましゃくれた文体さえもふっきられている。それはこのような反物語的物語が語っているのではなく、一切の物語たちの向こうからの声に、〈肯定する力〉の声に浅田が語らせているからである。それは蓮實が〈人生〉という古い記号をおそれずに用いて指示しようとしているものと、たぶん、おなじ方角からの声である。「この小さな美しい本」（美しい本だ！）を、本当に「好きだ」ということのできる「二人目の浅田」のうちに、この新しい才能の可能性の中心を見たい。

前近代の文明が、古いという価値に奇形的に固執することをとおして歴史の捏造さえもあえてしたこととおなじに、近代の文明は新しいという価値に、奇形的に固執することをとおして、やはり歴史を捏造している。前近代の文明の洗練されたゆきづまりである封建社会が、「古さ」の神話で共同体の人びとを窒息させてきたこととおなじに、近代文明の洗練されたゆきづまりである現代社会は、「新しさ」の神話によって市民社会の人びとを窒息させる。

二昔前の構造主義革命が残してくれた遺産というものがもしあるとすれば、それはたとえば、マルクス主義から実存主義へ、構造主義へ、ポスト構造主義へといった単線的進化の公式が、それじたい近代世界の強迫観念の系にほかならず、これらすべての巨大な思想のいずれもを自在に生きるということが、すべての人に向かって開かれた平等な権利であるということである。

〈文学〉であれ「人間」であれ東洋の諸思想であれ、それらのものを固執して排他するのでないかぎり、人は自在にこのような夢を享受し、身を委《ゆだ》ねてそれらと戯れることが許されているはずである。

〈伝統〉という名の衣装を脱ぎすてたときに人間は、ひとつの解放を手に入れたはずだ。〈前衛〉という名のモード、つねにより「新しいもの」でありつづけねばならぬという強迫観念を脱ぎすてるときに、わたしたちは、もうひとつの巨大な自由を手に入れるだろう。

自由という名の非自由――窒息しそうな子供たち

一九八五年三月二十八日

去る二月十六日午後、横浜市の団地の十三階から小学五年生O君が飛び降り自殺した。

「紙がくばられた　みんな、シーンとなった　テスト戦争のはじまりだ　ミサイルのかわりにえん筆を持ち　機関じゅうのかわりにケシゴムを持つ……テスト戦争は人生を変える、苦しい戦争」。O君四年生の時の詩だ。死の日にO君は、「学校が破滅すれば先生も子供も楽になる」といって担任に叱られ、その反省文にも、「学校に行ってしあわせになれるかだ……昔は学校がなかった。その時、人は自由にくらせたんだ」、「これくらいで進歩をとめていいと思う」と書いた。担任はもっと「子供らしい心」になりなさいと叱り、自殺後の記者会見でも、O君の発想は「健全な」子供の考えではないなどとのべている。

香山健一はその「文部省解体論」（『文藝春秋』四月号）でこの事件をとりあげ、立論の出発点としている。O君を「死に追いやったのは、画一的、硬直的で陳腐な『児童像』の枠のなかに子供を押し込めようとしか考えない画一主義の教育であ」るという判断は、引用部分に関するかぎり正しいと思う。

同時にO君の書きのこしたものの中には、現代の競争社会への鋭い抗議があるが、香山はこの面にはふれていない。この事件への着眼の正当性とその解釈の方向性とは、香山を牽引車とする臨教審「自由化」グループが、現代の教育状況のどのような矛盾に的確に足がかりを求めているか、そしてその志向する「自由化」の内実がどのような問題をはらんでいるかということの、両面を象徴している。

臨教審第一部会長天谷直弘との対談で西尾幹二は、いわば保守良識派の立場から、天谷、香山らの「自由化」論への疑問を二点のべている。第一に「自由化」の具体的内容が不明なこと、第二に経済の「自由競争原則」を教育にもちこもうとしていることへの懸念である。(「未来志向か、現実主義か」『中央公論』四月号)

『ひと』四月号(太郎次郎社)の特集「登校拒否/子どもが学校を棄てはじめた!」は、O君の事件の氷山の下の部分の広がりを証明している。奥地圭子の報告をみよう。中学二年のM子。「勉強しなかった父だって今立派に生きているのに」膨大で画一的な宿題その他に疲れきり、次第にうつろな表情になりながらそれでも学校には行きつづけていた頃のこと。「お父さんも学校、学校というし、先生はムリに来させようとするし、もう、どうしていいかわからない。自分をすてて、あわせていくしかないって感じ。自分であって自分でない。幽霊みたいに生きてる。でも先生ったら喜んじゃって『あら、このごろがんばってるわね。毎日学校へきて、人間やればできるわね』って、気持ちわるいようにほめるの。私が死んだように生きてることが、ほめられることになるの。先生ってなに。学校ってなに。」

　もう、最後は、一人で耐えてきたことの思いがあふれて、泣きながら話す。その友だち。

「ウン、いいの、どうだっていいの。先生がこうしなさいといえば、そうするし、お母さんがこうしろといえば、やっとけば、もんくいわないじゃん。それがいちばんラクだから、もうなにも思わないことにしたの。M子もバカになればいいんだヨー。学校ってそういうところなんだから。」

　小児科カウンセラー内田良子の「子どもの発する〝SOS〟をキャッチするには」（同誌）によれば、登校拒否児の多くにはある共通した「持ち味」がある。小学生の例。担任は言う。

「いつもノロノロして足手まといだ。授業の足をひっぱる。理科の授業で球根を配るときでも、ほかの子はわれ勝ちに球根をとりにくるのに、その子は最後にノッソリときて、しなびて小さいのを平気で持ち帰った。競争に加われなくて困る。」

母親がそのことを聞きただすと、「だれかが最後の一つをとらなくちゃいけないでしょ。みんなが最後はイヤだと思っているから、ぼくがとったんだよ。小さなしなびた球根だって、一生懸命、水をやって、お日さまにあててやったら、花が咲くと思うよ。ぼくは育てる方を一生懸命やろうと思ったから」という。登校拒否児には思いやりのある子が多いと、内田は書いている。大人たちはそういう子どもに、「甘い」「ひよわだ」「わがままだ」ということばをなげつけている（奥地）。

竹内敏晴「教師の『からだ』粗描」（『世界』四月号）は、演劇人の目から、ここ数年の教師のからだの変質を鋭く観察している。受け身で対応しようとはするが、積極的に働きかけることのなくなった若い男性教師たちのからだ。子どもと遊ぶのダーイスキといった若い女性教師の笑い声も影をひそめて、「男女とも一様に肩をすぼめ、足をそろえて、なにをやるにも、チラッチラッと講師や仲間に目を走らせる。……指示以上のことをやってはいないかと計っている姿勢。笑いがはずまない。」

教員養成制度の不自由化、学校管理体制の強化の産物である。こんなに委縮し硬直した身体で子どもたちの生命に対応できるかと竹内はいう。

脱出口はあるか？　『世界』の特集「教師たちへ」は、「いま、出来ること」という副題の示す積極的な企画のねらいはよかった。わたし自身には、高杉晋吾「真のフリースクールを求めて」（『中央公論』）が充実していると思えたし、水野直子「くちなしの実が開いた」（『ひと』）が、面白かった。水野の記録は、「愛理をいびる会」といういじめ事件の始末記である。教育関係で今月読んだ沢山の文章の中で、心を明るくしてくれたただひとつのものだ。高杉のルポは、自由の森学園、富士宮の〝泥ん子〟保育園、伊那小などの新しい実践の報告である。伊那小のはずむように自由な教育を、全国から見学に来ていた教師たちの幾人もの目に、涙が浮かんでいたという。自分たちの学校でこれがやれたら？　いや、教育委員会や文部省の桎梏をはねのけて実践できる力がない、という無念の涙だと、高杉はみている。

自由を求めて窒息しそうな子どもたちがいて、教師たちがいる。いま教育の「自由化」を言いだした人たちがだれであろうと、その企図をのりこえてこれを現実のものとすることの他に、現実の自由への道はない。

自由といえば自由競争と短絡するのは、人間はすべてエゴイストであるというまずしい人間観である。競争しない自由、自分のペースで生きる自由が根底にあってはじめて、時には競争する自由もまた楽しいのだ。競争を強いられるほどに過酷な不自由はない。エゴイストであることを強いられるほどに過酷な不自由はない。現代の日本の子どもたちは今も、このような〈自由という名の不自由〉の中にいる。「自由化」がこれを加速するものであってはならない。実現されるべき〈自由〉とは何か。

　現在の「自由化」論議は、政権の「戦後の総決算」への意思の一環として出てきた。けれどもその問題自体は、明治以来の、就学率の異常な高さを下敷きに産業化を走りつづけた日本近代百年の総体を問う射程をもつと同時に、さらにおそらく、近代世界総体の〈自由〉の観念の実質を、具体的に問い返すことなくしては、解かれることのない構造をもっている。

離陸の思想と着陸の思想——自己解放の二つの方向

一九八五年三月二十九日

『思想の科学』三月号の室謙二「家庭の中の言葉」では、中尾ハジメの「魔笛の主題によるクレイマークレイマー変奏曲」（同誌昨年十月号）と、それにたいする鶴見俊輔、森崎和江の批評（同号）とが対置してとりあげられている。

「この人は何か恋愛に憑かれているような世代の人じゃないかと思います」（鶴見）、「離婚とか結婚は一人ひとりの作品ですから決して概念化できないのね」（森崎）という中尾への批評にたいして、室謙二はそれを、自分自身の世代への批判として受けとめる。「自覚的な言葉、自覚的な愛によって支え続けられないと崩壊してしまうような家庭は（鶴見・森崎のいうように）本当の家庭ではないかもしれない。だとしても私たちは、自覚的な言葉、自覚的な愛によって家庭を支えようとしている。それなしに家庭を支える自信がない。」ここで室謙二は、戦後社会の基層の問題にその内側からふれている。

同時にこのことは、一九五八年という早い時期に伊藤整が、「近代日本における『愛』の虚偽」（『思想』同年七月号）において提起した問題の延長上においてみることができる。「ほれる」「恋う」「したう」といった実質のある言葉に代えて、明治以来の日本人が「愛」という翻訳言葉を輸入し、それによって男女の間を語ろうとしてきたことが、どのような無理・空転・虚偽をもたらしたかということを伊藤は指摘している。透谷も独歩も蘆花も白樺派も、そのためのいわば誠実な虚偽を生きた。戦後社会はたぶん、それを大衆化し肉体化しただけである。

山崎哲がこんにち描く現代の「家庭の幸福」の根底的な虚構化もまた、その第三の、極限にまでせりあげられたステージに他ならぬだろう。〈わたしたち夫婦の会話をしたわね〉〈一日最低十五分は親子の対話を〉というふうに。実体の失われた場所を言葉がかろうじて支え、いつか言葉がただひとつの実体となる。

佐藤良明「『これはウソコだ』」（『へるめす』第二号）は、このような現代の「愛」の礼法をよく伝えている。「ラブホテルの前で足を止める二人。男は言います。『ナミ子さん！』ここで『ヨシカズさん！』と返ってくればしめたもの。」「タモリ倶楽部」（テレビ朝日系）のあの「セピア色」の劇中劇を演技するという幾重もの虚構を共有することこそが、対の内実を充塡している。

「グリコ・森永事件」に典型をみるように、虚構が実体になり変わる劇場社会の犯罪（大村英昭「劇場犯罪の出現」『中央公論』四月号）と、それは正確に対応している。

中井久夫の「神戸の光と影」（『へるめす』）を面白く読んだ。神戸はあこがれているだけなので内的なコメントはできないが、ひとつ強烈に思い当たることがある。山名正太郎『日本自殺情死紀』によると、一家心中は大正昭和の境に初めて流行した。大正十五年五月、北海道の開拓農村で親子五人の心中があり、この事件が報道されると同じ年の内に、名古屋、東京、長野に一件ずつ、そして神戸では数件の流行をみた。「一家心中」という、今日では日本の「伝統的」な現象のように感覚されていることが、じつは日本の近代化のあるステージの産物であったという話として、書物などにも書いてきたのだが、「神戸に数件」というそのおどろくべき先進性について、中井の文章で初めて納得することができた。

ちなみに京大で精神病理を専攻して神戸に移り住んだ人の内、過半数が自殺しているという。神戸の地下鉄駅も深夜は浮浪者の酒盛りがあるが、「ここを通る時の作法はこうである。『座敷の前を失礼』『いやいや、どうぞ。一杯どうや』『また今度。ちょっと急ぐのでね』『ほなら、また』。」成熟した虚構社会の礼法である。

『広告批評』三月号の特集「女はなにを考えているか」で木野花もいう。「私はね、真面目につらぬきとおせないの。どこかで『いまのウソー』って言わないと。でも、そういうのが出て来る時代だと思う。時代に『いまのウソー』っていうところが、どっかにあるね。」

木野花だけでなく、愛染恭子も井坂洋子も高橋章子も林真理子もやまだ紫も、虚構性への鋭い触覚をもちながら、それを逆手にとって自分を表現してゆくそれぞれのスタイルを獲得している。

アグネス・チャンは日本に来てスターになって、プロダクションから、きついことは言うな、はっきり意見を言うな、みんなに好かれねば困るからと言われる（同誌）。「でも、いまは全然そう思わない。百人に一人だって、自分のこと応援してくれるんだったらたいしたもんですよね。はっきり言ったほうが応援しやすいと思う。あいまいな時代って、これから消えるような気がするんだけど。」スターだからというのではなく、スターでさえというべきだろう。時代に作られる存在であることから、時代に対してまっすぐに立つ人間であることへの、ひとりの青年の自己解放の軌跡をそこにみることができる。

虚構にたいしてこのように同じく敏感でありながら、「私ね、真剣なんです。イヤぐらい真面目ですよ」というアグネスは、この特集の他の先端的な女たちとは、べつの方向に出口を求めているように思える。「新しい曲も、シンプルで前向きなラブ・ソング。いま、ようやくやろうとしてることが、全部同じ方向に向いてきたんです。」という彼女は、虚構をつきつめて逆手にとって自己を表現するというよりも、虚構のない世界をシンプルに希求している。クラシックなのだ。クラシックということは古いということではなく、時代をこえたものに根づこうとしていることだ。

アグネス・チャンと先端的な女たちとは対立するものではないし、虚構のむこうからやってくる声をどのように虚構のうちにすくい取り、虚構のことばで表現するかのそれぞれの苦闘の仕方であるととらえるかぎりでは、やまだも林も高橋も井坂も愛染も、木野花もアグネスとおなじであるともいえる。

けれども人としてでなく、むしろそれぞれの人を引き裂く二つのベクトルのようなものとして純粋化してとりだしてみると、わたしたちはそこに、当面は異質な二つの解放の方向をみることができる。

虚構のかなたに自然性の〈真実〉などは存在しないのだという「現代哲学」の認識に立って、虚構をみずからの存在の技法とするか。虚構のかなたに自然性の〈真実〉が存在するのだという、時代をこえた生活者の直感に立って、シンプルな自然性の大地に根ざすことをめざすか。

それらは現代の思想の二つの前線であると同時に、またわたしたちの日々の生き方としての解放の、当面は異質な二つのスタイルとして存在している。離陸の思想と着陸の思想。時代をその先端に向けて駆けぬけてゆくか。時代をその基底に向けて降り立ってゆくか。

〈大衆社会〉のゆくえ——虚を通しての実の存立

一九八五年四月二十五日

四月は新しく入学し、卒業し入社する青年たちのための臨時増刊や特集の出そろう季節だ。『エコノミスト』の臨時増刊『図説　日本経済のすぺて』はビジネスマンとして、新しく実業の世界に入る人たちのためのマニュアルであり、『朝日ジャーナル』臨時増刊『ブックガイド'85雑誌の世界』は、学生、教師、マスコミ人等として新しく虚業の世界に入る人たちのマニュアルである。『エコノミスト』が、各項目見開き二ページで整理する等、「学習参考書」の様式を取り入れているのに対し、『朝日ジャーナル』が、「ぴあマーク」の変形のように「レジャー情報誌」のスタイルを取り入れていることも対照的だ。

筑紫哲也『Journal』のヤング路線は風当たりの中で一周年を迎えた。新聞社等に「おしかり」を投書してくるのは中高年が多いが、青年はだまって支持しているし、少なくとも面白がっていることは事実だ。長打をねらえば空振りも多くなるのは当然であるが、右翼スタンドの野次などにめげず、(左翼スタンドのブーブーにもめげず)がんばってほしい。空振りを少なくするには、若者に受けるものなら何でも手を出す無見識をやめて、その中で本質的なタマを見分ける選球眼にあることはいうまでもない。〈ルーキーにさわがれるほどの実力なし〉という方が通例だから(例外はあるが)、球はいくらか走ってもコントロールがなってないということも多く、笑って見送るべきタマもあるのだ。

もっとも筑紫にいわせれば、つまらぬものがもし若者に受けているのならその事実こそが〈現在〉に他ならず、寄せては消えるファッションの波の表層をサーフ・ボードで戯れるパフォーマンスをみせているのだというかもしれない。

『世界』の特集「大学生と読書」も、主題はタイムリーである。内容は大学生自身より、学生に何かを伝えたい大人たちが共感するように出来ている。現代の学生自身に意味があるような仕方でこの主題の特集をもし組むとしたら、どのような形が可能か。たとえば全巻の八割位を、『ウパニシャッド』『資本論』から実用書、コミックスに至る一千冊程の読書案内カタログでビッシリ埋める。巻頭か巻末に真に重厚長大な論文を二本位配し、現代社会における〈読書〉という現象の意味の解析と、現代青年にとって〈読書〉は何でありうるかということの真正面からの追求に当てる。巻頭は特集内容と呼応する鮮明なカラー・グラビアとする（グラビア位は毎号明るくカラーにしてほしい）。つまり重厚長大と軽薄短小を両極に徹底して共存させる。重厚長大にも軽薄短小にも徹底しない中中中中というのが一番つまらない（麻雀は別）。

　中村雄二郎が内田義彦『読書と社会科学』（岩波新書）に触発されて書いた「読書のドラマトゥルギー」のようなものを、巻頭論文の意識と枚数をもって展開してほしかった。

『創』（五月号、創出版）の特集「出版界のサバイバル地図」は送り手の側をみている。たとえば中央公論社が好評だった文芸誌『海』を廃刊にしても「実売数の余り上がらない経済誌『ｗｉｌｌ』を出し続け、しかも『海』の編集部を『ｗｉｌｌ』に配転しているのは、完全に『広告収入依存型』出版社を試行したからである」（丸山実）。中公一社のことでなく、出版業界のほとんどが十年位前から「広告依存型に変質している」（『暮しの手帖』のような奇跡的例外の他は）。業界では周知のことだが一般の読者は知らない。本当は恐ろしいことだ。つまり現代社会の言論・言説が、広告主である企業・財界に好まれるものか、そのマーケットとして、つまり消費者として現れる限りの「大衆」の心理にくいこむものだけが生き残りやすい構造をもつということ。公害批判や原発批判や軍拡批判を行う雑誌・新聞や執筆者・発言者たちを中傷し、嘲笑し、失墜させる記事を出しつづけていればスポンサーはつくという事実。現在の言

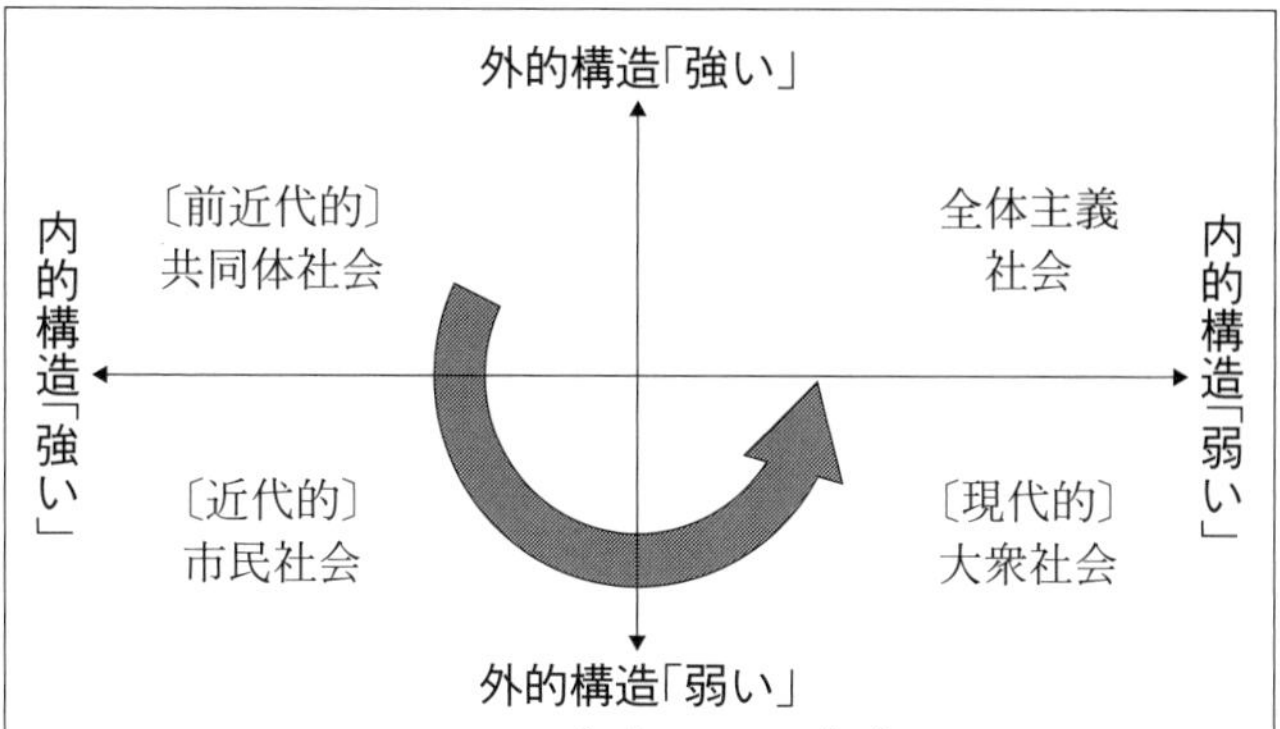

太矢印は見田。必然でなく傾向を示す

論・言説が全体としてそういう方向への風圧に強くさらされているということを、読者は平静に知っている必要がある。

虚業と実業のことを書いたが、現代社会の「実業」がじつは「虚」の情報と欲望とそのシステムを形成することをとおして存立しているということを、『思想』の特集「現代社会論」は教える（廣松渉、内田隆三、栗原彬等）。

現代社会論としてはまた『中央公論』の村上泰亮「ゆらぎの中の大衆社会」が明快である。コーンハウザーを批判的に再構成した村上の理論をわかりやすく整理すると図のようになる。

明快な理論は思考をそそるので、触発されたことを二点加える。第一に村上はトックヴィルらに従って、「内的構造」の強化・維持のために重要な要因として

「教育」と「中間組織」（クラブ、職場集団等）を並記しているが、「教育」は機能であり「中間組織」は場であって次元が異なる。「学校」や種々の「中間組織」という場で、一方的または相互的な「教育」や「触発」がなされうると考えるべきだろう。

第二に村上は現代の大衆社会が、中核的価値の衰退でしかないのか、新しい文明の胎動を認めうるかを問うている。この問いに答える装置としては、この図に垂直に第三の軸を設定する必要があろう。この図の全体は、人間の欲求は互いに相剋的であり、それゆえ秩序が維持されるには、外部から他者規制するか内部から自己規制するかいずれかしかありえぬという地平に描かれている。この地平で社会の解体も全体主義への移行も避けようとすれば、「内的構造」を強化して古典近代のモデルへ（あるいは前近代のモデルへ）逆戻りする方向しか残されていない。西部邁が「大衆」を批判して「伝統」「慣習」の再評価を主張するのはこの危機感にもとづいている（『大衆への反逆』文藝春秋、他）。

これに対して、欲求の相剋性の平面にでなく、性的関係や芸術的創造＝享受の関係や〈生きがい〉欲求のように、〈他者のよろこびが自己のよろこびである〉という人間たちの欲求の相乗性を軸とした社会を構想することが可能かという問いを立ててみることができる。その時社会はこの平面をいわば離陸し、外的規制も内的規制もミニマムにしてゆく方向に解き放たれてゆくという進路をもつことができる。現代の社会の内部にこのような胎動があるか否かは、事実判断の問題である。

井の中の蛙の解放――現代世界の地殻変動

一九八五年四月二十六日

埴谷雄高と吉本隆明が『海燕』（二月号―五月号、福武書店）で四カ月にわたって行ってきた論争は、はじめは私的な名誉問題に発端しながら、そして双方共に戦線を拡大する意思のないことを言明しながら、結局全面戦争にまで展開するほかはなかった。同時に論点も、両者の思想的資質にたぐりこまれるように深化し、普遍化し、現代日本の最も真摯な、明徹な思想家たちを仮借なく分岐してゆく問題の地雷線のごときものに向かって、一気に導火してゆくほかはなかった。

四月号（「政治と文学と・補足――吉本隆明への最後の手紙」）で埴谷雄高は、「現代思想界をリードする吉本隆明のファッション」という『an an』（八四年九月二十一日号）の記事にふれてこういっている。六二、〇〇〇円のジャケット、二九、〇〇〇円のシャツ、……三五、〇〇〇円の靴といった高級消費商品のCM画像に「『現代思想界をリードする吉本隆明』がなってくれることに、吾国の高度資本主義は、まことに『後光』が射す思いを懐いたことでしょう。吾国の資本主義は、朝鮮戦争とヴェトナム戦争の血の上に『火事場泥棒』のボロ儲けを重ねに重ねたあげく、高度な技術と設備を整えて、つぎには、『ぶったくり商品』の『進出』によって『収奪』を積みあげに積みあげる高度成長なるものをとげました」。そういう日本を「悪魔」と呼ぶタイの青年たちはその吉本を指して悪魔というだろうとのべ、また一そろい十数万円というファッションの中でこそ「『大衆は大衆となる』といわれては、その大衆は、あなたを『馬鹿』というでしょう。」とのべる。

それは『同時代批評』一二号（らむぷ舎）の毒気に満ちた特集「完全粉砕・吉本隆明」とか、『GS』二号（冬樹社）の中森明夫によるマンガ——〈ワシが脳軟化ならおまえらはなんダッ！〉——などとはちがって、吉本の多年の盟友による遺言の思いをこめた苦言として記されている。

かつて吉本隆明は鶴見俊輔を批評しながらこのように宣言している。「井の中の蛙は、井の外に虚像をもつかぎりは、井の中にあるが、井の外に虚像をもたなければ、井の中にあること自体が、井の外とつながっている、という方法を択びたいとおもう。これは誤りであるかもしれぬ、という疑念が萌さないではないが……生涯のうちに、じぶんの職場と家とをつなぐ生活圏を離れることもできないし、離れようともしないで生活し、死ぬというところに、大衆の『ナショナリズム』の核があるとすれば、これこそが思想化するに価する。ここに『自立』主義の基盤がある。」（『ナショナリズム』筑摩書房、一九六四年）。

（わたしはこのことを鶴見俊輔に教えられた。「こんど出た吉本隆明の『ナショナリズム』をもう読みましたか？　わたしが徹底的に批判されているんです。すばらしい論文です。ぜひ読んでみて下さい」。学生であったわたしに鶴見は目を輝かせて言った。爽快だった。本質的な思想家は、論争での勝敗などには目もくれぬものだ。）

鶴見が即座に評価したようにこれはひとつの卓見である。

けれどもわたしたちのうち、最も真摯な、明徹な、硬質なひとりの思想家が二十年間その井の底を掘り進んだすえに到達しえた地点が、井の外の幾億という大衆にとって「悪魔」であるような地点でもしあったとすれば、それはどういうことだろう。〈井の中にあること自体が井の外とつながっている〉という方法に原理的な誤りがあったのではなく、〈現代日本〉という井のうがたれてある場所が、いわばその基底もろとも浮き上がるような地殻の変動が、この二十年の間にあったのではないか。

これは吉本の問題ではなく、わたしたちの問題である。現代日本という井の中の蛙《かわず》は、じぶんの生活の利害と感覚とそのさし示す「倫理」意識の方向線をどこまで掘り進んでいっても、（その「生活」の構造じたいを批判的にとらえかえすという固い岩盤をこじあける作業をどこかで通過しないかぎりは、）そのまま井の外の世界についての、鈍感で傲岸な虚像を形成してしまうという奇妙な位置に押し上げられている。幾千万対幾億という規模で、〈大衆〉自身の生活利害と生活感覚を引き裂くかたちで現代資本制世界は成熟しているからである。

五月号で吉本は全面的に反撃している。東南アジアの青年たちの不幸は直接にはタイ国王やホー・チミンやポル・ポトの支配にもよることであり「どうして吉本に短絡できるのでしょうか」。先進資本の後進地域への流出は両義的であり、罪悪一色ではないということ。そしてなによりも、他人の私生活に向けられる倫理主義的な視線の本質がじつは「卑しい」ものであること、その帰結は抑圧的なシステムであるということ。

吉本がまったく正当に強調しているとおり、『an an』やCMに出ることがわるいことであるなどということは絶対にないし、埴谷もそんなことは言っていない。また高級な衣服のCMを務めたからといって、吉本ひとりが「悪魔」の代表のように名指されるいわれもないだろう。

にもかかわらず、(吉本個人の問題ではなく) わたしたちが、〈現代日本〉の生活者・大衆として、その消費生活の豊富化を、現在の構造に無批判なままで追求しようとすれば、井の外の幾億という生活者・大衆にとって「悪魔」とよばれうる側面をもつ存在であるという構造の問題は残る。

それはだれかれの思想や志操の高さ深さとはかかわりなしの関係の絶対性の問題である。〈関係の思想〉をいまわたしたちは、全地球的な規模で考えないかぎり必ず自己欺瞞となるような世界を生きている。それは〈自分の井の底を掘れ〉という思想の破綻を示しているのではなく、あの固い自己対象化の岩盤を突破してなお貫徹することを要求している。

先進資本主義国を絶対悪とし第三世界を絶対善とするような図式を批判するとき、吉本は倫理性から自由なところで平静に事実をみているということもできる。けれどもそれならば、吉本が「大衆」を絶対善とし、「制度」を絶対悪とするとき、それもまた古い公式主義の変形である。

吉本のいう「重層的な非決定」という視力を、現代世界の〈大衆〉の生活過程じたいの両義性にまで透徹すること。このことをとおしてはじめて、埴谷のみている問題の核心をもまた、正当に一つの視界におさめて語りうる地平を獲得することができる。

〈主は奴から自立することができない〉というヘーゲルの洞察のおしえるとおり、先進産業諸「国」の生活者・大衆じしんが、他地域・他民族の生活者・大衆への収奪に依存することなしに、どのように〈自立〉しうるかという課題にそれは絞られてゆくはずである。この課題を倫理主義者とは異なる仕方で、――なぜなら吉本のみているとおり、倫理主義とはテロリズムへの通路に他ならないのであるから――先進産業諸「国」生活者・大衆じしんの自己解放として、どのように実現することができるかということに一切はかかっているだろう。

強いられた〈旅〉——「外部」という思考の渇き

一九八五年五月三十日

『中央公論』六月号の特集「経済摩擦解消への処方箋」に組みこまれている吉岡忍「コンピュータ社会を統べる強き神」は、世界第一、二位の自動車メーカーGMとトヨタの合弁NUMMIの発足という「事件」の背景と意味をたずねて、現代アメリカ社会の深部にまでひきこまれてゆくひとつの旅となっている。

たとえば吉岡はGMの生産現場をたずねて、アメリカ最南部のメキシコとの国境の町ブラウンズヴィルにまでたどりつく。対岸のメキシコの街マタモロスにはGMの部品工場が三つある。GMだけでなく、アメリカの最優良企業の六百数十もの工場がこのメキシコ側に布陣している。もちろんアメリカの十五分の一という低賃金を利用するためである。工場の薬品類の取扱注意の警告はメキシコ人労働者には分からない英語で書かれ、化学薬品に侵されて死ぬ、皮膚を侵食される、ガンにおかされるという「命がけの仕事が少なくない」という。

この国境の町に降り立った筆者は、奇妙な違和感をおぼえる。「アメリカ各地の町とはちがう」。褐色のメキシコ人の顔つきでスペイン語を話す人たちの世界なら、ロサンゼルスでもダラスでも珍しくない。ハタと思い当たる。「それは、おそろしく単純な事実だった。人が歩いている、という事実である」。

アメリカ中の都市が自動車――この人間を歩かせない機械、〈地に足をつけること〉への否定である文化のシステムにおおわれていた。「一日十四人の子供が虐待されて死ぬ」というこの国の深部の家族家族に、コンピューターとファンダメンタリズム（復古的な宗教意識）とがどのように相補って浸透してゆくかという風景を筆者はみている。

吉岡はテキサスでファンダメンタリズムをみたが、ニューヨークの知的な階層などでこの「宗教」を代位するのが、宮内勝典の報告するようなセラピスト（精神分析医）たちであろう（「セックス・家族・ゲイ」『Common Sense』一月号＝教育社、他）。

桜井哲夫「われわれの周りに氾濫するあやしげな神々は何を語る」（『中央公論』六月号）は、現代ヨーロッパやソ連や日本の同様な新「宗教」現象にふれている。

宇野邦一「風のアポカリプス」（同誌）は、この主題に関してもまた刺激的である。「風の歌を聴け」「風のクロニクル」「風の王国」そして「風に訊《き》け」「風の地平」「風の岬」「風の果て」「風河」。現代人はなぜ風を求めているのか。そのくせ現実の風には過敏で、花粉症が急増したりしている。閉所恐怖の患者のように「外部へ」「外部へ」と逃走しつづけようとするが、その「外部」が本当に存在することを、たぶん、信じてもいない。あるいは本当の外部の風に吹かれることを、意識の底で恐れてもいる。「すべてがうさん臭いと知りながら、それを拒むこともなく浅く演じるものたち」が、町を風のようにでなく、電光ニュースのように、かけぬけていく。

宇野じしんがこの光景に肯定的なのか否定的なのか、「われわれ」という主語はだれであるのかわからぬ文体で書かれてあるのは、このエクリチュールじたいが、宇野のいう『意味の果てへの旅』（青土社）の実践にほかならないからである。（エクリチュール。宇野の記すように、日本語におきかえられない語のひとつだが、〈書くこと＝書かれたもの〉に近い。井筒俊彦「書く――デリダのエクリチュール論に因んで」（『思想』八四年四月号）が興味深い）。〈意味の果てへの旅〉である「境界の批評」は、宇野によれば、システムの自己言及性や言説の説話論的磁場を思索する柄谷行人や蓮實重彦の「限界の言説」とは区別される。「境界の批評は〈正しさ〉のためには書かない。……彼は知の荒野で、生の無限の騒音に耳を傾ける」という宇野の企図は、魅惑的である。それは宇野ひとりではなく、たぶん、現在の若い世代の批評家たちの多くが夢みていることを、意識化したものといえると思う。

けれどもそれが可能だろうか？　という「限界の言説」たちの皮肉な無表情がみえもする。それが本当に〈生の雑音〉である保証はどこにあるのか？　わたしたちの耳はもう「音楽」しか、つまり言葉しか、聞くことができないのではないか？　「限界の言説」たちとじぶんを区別する以上、それはひとつの立場を宣言し、正当化し、根拠づけ、その立場から他人や自分の作品を批判することを仕事の中身とするわけにはいかない。それはその旅が旅として成功することによってしか存在できない。

旅は方法なしに可能か。旅は方法ありで可能か。方法があれば、旅はその「方法」の生息しうる意味空間のうちにあらかじめ限界づけられてあるだろう。方法がなければ、それは下意識の意味空間の掌中を悟空のように飛ぶだけだろう。

下意識の意味空間をもつきぬける技法、反方法的方法ともいうべきものがあるとして、それは原義のエクリチュールの、つまり言語という水準の内にありうるか、あるいは中沢新一の〈メチエ〉（技術知）の語に内容を与えているような（『チベットのモーツァルト』せりか書房、『雪片曲線論』青土社、他）、そして宇野じしん、アルトーやニジンスキーにふれて探っているような身体技法（あるいは身体脱技法）ともいうべきものとして、あるいはいっそう〈存在の技法〉のごときものとして、はじめてありうるか。

この世代の思想家たちの〈旅〉のゆくえに、しばらく注目してみたい。

「僕にとって遊園地というのは故郷めいたものですからね」という島田雅彦の登場人物のせりふにふれて松本健一は、「生まれたとき、もう道がアスファルトだった」世代にとっての、〈故郷〉という言葉の死語化を見届けている（『死語の戯れ』筑摩書房）。

『風の谷のナウシカ』（宮崎駿）の「腐海」を生きるオームのうちに〈修羅〉をみながら、「啄木が〈望郷詩〉をうたう『近代詩人』の代表であるとするなら、宮沢賢治は言葉が〝根〟を失った場所で自身の存在を仮託するメタファーを探す『現代詩人』の代表といえる」と松本は対比している（賢治の〈自然〉の現代性の根拠については少し異議があるけれども省く）。

だから現代の根底的な工作者たちはこの賢治を通路に、黒姫の山麓あたりを拠点に、遊園地としての宇宙を、アドレッセンス（思春期）に組織するという手仕事から出発する他はないところにまで追いこまれている（谷川雁他『十代』＝月刊、十代の会）。高度成長期の全国土的な〈故郷解体〉の、最初の一角をなしたかつての炭鉱地帯の崩壊の中で、〈故郷とは未来に創出するものだ〉と肚《はら》を定めたひとりの詩人の、それは現在、まったく論理的に強いられてある旅のかたちだ。

根を失った言葉が立ち枯れ、「新しく」そして腐りやすいコトバの菌糸のそこに繁茂する〈腐海〉の鋭敏な嗅覚たちは、今いる「世界」のウソくささへの直覚として、しかしどのようなレアリティへの記憶も断たれて、ただ「外部へ」外部へと向かう抽象化された思考の永劫の渇きのようにかけめぐる。意味の果てへの旅を強いられ、禁じられながら強いられている。

草たちの静かな祭り――「人間主義」の限界線へ

一九八五年五月三十一日

わが祖《おや》は草の親　四季の風を司《つかさど》り　魚《うお》の祭を祀《まつ》りたまえども　生類の邑《むら》はすでになし

（石牟礼道子『天の魚』講談社）

『そよ風のように街に出よう』という雑誌がある（関西障害者定期刊行物協会）。「西のそよ風東の福祉」ということばがあるように、東京の『福祉労働』（現代書館）とならんで、障害者問題の総合誌である。誌名じたいが、最近十数年間の障害者問題をめぐる思想と行動の、ひとつの到達点を平明に表現している。〈いじいじ〉でもなく、〈きんきん〉でもなく、そよ風のように街に出ること。顔を苦痛にゆがめても生き方のさわやかさだけは手放すまいという、障害者運動の思想の現在の血肉化されたスタイルは、たとえば西村吉彦らのさっそうたるレイアウトから、籠谷嘉彦の輝きにみちた写真に至るまでつらぬかれている。(21号の目次デザイン。20号の「編集後記」。等々。「障害者運動」はここまで来たのだということを、スタイル自体でケレンもなく表現している)。

内容は。最近号(22号)で落合恵子が、私生児であるゆえに見えてきた視界を語っているように、聞き書きやコラムや投書の端々に、わたしたちの目を洗浄する力をもった独自の感性がきらめいている。「カゼはシャカイのメイワクです」というメルヘン風のCFがどういう生々しい苦痛を与えるか。「報復する」「バチがあたる」という言い方がどういう深部の戦慄を人に与えるか。等。

『福祉労働』は、『そよ風』のようなスタイルのラディカリティはもたないかわりに、内容は一層本格的に現代社会の深部の問題に分け入っている。たとえば巻末の石川憲彦による連載「障害と医療」は、〈扁平足が直るということ〉といった具体的な問題をつぎつぎと取り上げながら、近代の人間主義の限界線にふれる問題と格闘している。

大江健三郎の仕事(『新しい人よ眼ざめよ』講談社、他)や竹内敏晴の仕事(『ことばが劈かれるとき』思想の科学社、他)にみるように、こんにち「障害」をもつ人々とそれにかかわる人々の視座が、「障害者問題」という主題の局所性をこえて、現代の文化と社会の総体を照射する力をもっているのは、レヴィ＝ストロースやフーコーやアリエスによる「野生」と「狂気」と「子供」の存在のとらえかえしが、近代世界のヒューマニズムと人間観との根底をゆるがす思想の拠点となりえたということと、おなじ構造上の根拠をもっている。

『80年代』という雑誌を編集していたAという人が、アメリカ・インディアンと一緒に幾年かを生きてきたKと結婚して信州南部の大鹿村に移り、ホピ族のニュース・レターの翻訳などを中心とするミニコミを発行している。最近号にはホピからのたよりなどとまざって、《わが家に電気がついた日》という記録がある。東京で生活してきたAにとっては、田舎で暮らしたいと思っていた時も、電気はあって当然に近いものだった。けれどもKは、せっかく電気が来ていない家に住めるのにという。Aも原発には反対だしと、当面は電気なしでいくことにした。案外不便は感じないし、何よりも〈夜が夜らしく存在する〉。

唯一めげたのは洗濯で、冬は近くに洗濯機を借りにいくようなことになり、結局電気は引くことにする。冷蔵庫やテレビはいらないが、洗濯機だけはおくだろう。けれどこれからも満月の夜だけは電気を消して、〈闇について、この明るすぎる文明について語り合います〉と書いている。

かれらは何もよびかけたりしてはいないし、自分たちの限界点を記録しているだけだけれども、この記事をよんだかれらの友人たちは、満月の夜をそれぞれの場所で、みえない全国の友人たちと呼応して〈闇〉を共有するという、しずかな祭りの夜としてゆくかもしれない。

原発を地域に作られることには反対だが電力は使いつづけようという戦後革新思想の矛盾を、消費社会に居直るという方向へでなく（つまりみえない地域の人々や生態系に矛盾をしわよせする方向へでなく）、生活の仕方を変えるという方向へのりこえてゆく青年たちのひとりだけれども、このことを倫理主義的にではなく、〈生活水準を楽しみながら下げてゆく〉という仕方でやっている。それは失われたよろこびたちを（快楽から至福にいたるその一切のスペクトルにおいて）取り戻してゆくというかたちをとるだろう。ひとりの生が解き放たれてゆく方向と、地球生命圏がその破滅に至る軌道から解き放たれてゆく方向とが、コンパスと地軸のように合致している。

電力の総需要といった計算からすれば、さしあたり一兆分の一ほどの効果しかもたないだろう。けれども一兆分の一だけの自己解放をいたるところで開始すること、それらがたがいに呼応し、連合していつか地表をおおうこと、このことを基礎とすることなしにどのような浮足立った「変革」も、もうひとつの抑圧的な制度を出現させるだけだということを、二〇世紀のすべての歴史の経験が書き残している。

かれらのミニコミは『大地と平和』と題されている。それはKたちが、今もその生気を身体の内に発散しつづけているホピ族の天地の中で、〈大地〉と〈平和〉ということばが、輝きを帯びて生きていたからだろう。現代日本の言語空間の中では、「大地」とか「平和」という言葉は輝くことができない。ウソくさい理念のようなものとしてしかたいていは感受されない。そういう無残なところにわたしたちはいる。

これらの言葉が喚起する意味の実質を、解体しつくしているからである。

〈明るさはあるが輝きがない〉。東京に来たある国の人たちがいう。「障害者」や老人や子供たちをそれぞれの「施設」に追いこんだ都市の「明るさ」。

『そよ風のように街に出よう』という冒頭にふれた雑誌に、明るさというよりも輝きをみてきたけれども、同様の輝きにみちた写真集として『ぱんぱかぱん』がある（小林茂＋森永都子、径書房）。「重症心身障害児」たちのびわ湖一周歩行という未踏の冒険の記録だけれども、〈浮上してぱんぱかぱん〉と題された小林茂のあとがきは、この七泊八日の〈旅〉が、二年にわたる周到な準備と練習ののちの、マラソン走者の最後のトラック一周のごときものであったということ、つまりこのもうひとつの静かな祭りに至りぬくために、くぐらねばならなかった水圧の重さと洗浄力とについて、ひかえめに記録している。

森永都子の詩はこれらの写真に、つきすぎないように呼応している。ゴミダメギクやヘクソカズラの視点から、これらの草たちを「ちっともきれいでないもの」と根を抜いてゆくヒト科の目のありようを相対化する。

〈よくみてごらんよ。きれいにきまってるじゃないか〉

人間を大切にするということは、人間だけを大切にするということを越える思想によってしか、支えられない。

近代のヒューマニズムの限界線は、人間主義をどちらの側にのりこえてゆくのかというふうに、現代の思想の前線を分岐してゆくだろう。

戦後日本のメタ権力——戦後思想の否定の仕方

一九八五年六月二十七日

『朝日ジャーナル』と『エコノミスト』がそれぞれ六月の臨時増刊で、アメリカと日本の経済摩擦を特集している。『中央公論』はすでに前月（六月号）この主題を特集しているし、『世界』『文藝春秋』の七月号にも単発の論文をみることができる（船橋洋一「『対日報復』の政治経済学」、浦賀浩平「経済摩擦に妙手はあるか？」）。

一番包括的な『朝日ジャーナル』の臨増は、ガルブレイス、カルドア、飯田経夫の基調報告をもとに、都留重人、盛田昭夫、天谷直弘が加わって討議している。ガルブレイスは今日の摩擦の五つの原因に目を配りながら、「主要かつ最も普遍的な原因」として、アメリカ国内の「経済運営の失敗」をあげる。カルドアは独自の理論（農工間の不平等発展）から一貫して考察しているが、もう一つの全体的な基調報告である飯田のものは、日本市場の「閉鎖性」というイメージが誇張され過ぎていることを明快に批判している。

これらの「診断」をうけた討論では、その「処方」として、日本は市場の開放を進めるべきことで「全員が一致」している。この「診断」と「処方」の基本方向は、考えてみると、逆のベクトルをもっている。

他誌の論調も大勢としては同じで、診断として「アメリカは勝手なことを言っている」、処方として「アメリカのいうことをききましょう」というものである。このズレはしかし、日米関係の事実のうちに十分な根拠をもっている。「アメリカ」に対するこのようなアンビヴァレンス（両価的態度）とそこからくる歯切れの悪さは、〈戦後日本〉の構造の矛盾のうちに根をもってきた。「日米安保」の傘のもとでの富国化という保守政権のアンビヴァレンスと、「占領憲法」の傘のもとでの反米という革新勢力のアンビヴァレンス、というねじれたシャム双生児が共有してきた秘密のようなものである。

加藤典洋の『「アメリカ」の影』（河出書房新社）は、このねじれ方を新鮮な視角から追求している。江藤淳が村上龍の『限りなく透明に近いブルー』に拒絶反応を示し、田中康夫の『なんとなく、クリスタル』を称賛するのはなぜか、という興味深い切り口から、加藤は主題に接近する。江藤は「戦後文学」がアメリカの「検閲」によって「閉ざされた」言語空間の内で

「民主主義的」言辞を吐いていることの矛盾を鋭く攻撃するが、その「汚い」占領政策を民主主義の美名の下に完遂したアメリカ自体を批判することはしない。〈検閲を批判するものの検閲〉の双対性のごときものが、逆立したシャム双生児の近親憎悪としてたたかわれてきた、〈戦後日本〉の論壇の構図をここにみることができる。

「愛国党」の赤尾敏の演説を立ち聞きしたことがある。「（急に演説の声を落として）わしだって、本当いえば、アメリカなんか大きらいだよ。ねえ。あんな、毛唐の……いやだよねえ。（再び声をはり上げて）だけどもそのアメリカがいてくれなければどうなる。日本はソ連や中共の……」。ここで右翼は、〈降るアメリカに袖はぬらさじ〉といった島国のナショナリズム根性を防衛する〈傘〉がそれ自体〈雨《アメ》〉の他にはないという、つげ義春ふうの怪談の不快に耐えている。

　けれどもこのダブル・バインド（二重拘束）は率直な右翼だけでなく、戦後日本の保守政権の（そして裏返しのかたちでは革新勢力の）屈折の構造であり、江藤らがそれに自らいらだってきたものである。

　江藤が六〇年代に一読深い衝撃を受けて現在もなおこだわりつづける小島信夫の『抱擁家族』は、妻の米兵との情交ということをとおして、その存在の根のただ中に消し去ることのできない「汚れ」を刻印づけられた男の物語である。八〇年代『なんとなく、クリスタル』を激賞した江藤の推薦文の中心は、次のようである。〈気障な片仮名名前のコラージュのなかに、「ナウい」女の子を登場させて、しかも〝惚れた殿御に抱かれりゃ濡れる、惚れぬ男に濡れはせぬ、とでもいうべき古風な情緒で「まとめてみた」点は、まことに才気煥発〉。——つまり江藤は田中の作品に、〈アメリカ化された女〉の敗北と回心の物語、「古風な情緒」にまとめられてしまう物語を読んで大いに共感したわけだ。もちろん田中の若い読者たち自身にとっては、そんなストーリーは、たいした意味のないものである。

江藤の田中への共感は、赤尾敏のあの自己嫌悪の、うらがえしであるようにみえる。

加藤が照明を当てているのは、戦後日本の、いわば〈メタ権力〉の問題である。つまり〈権力を支える権力〉、あるいは、権力と反権力とのたたかいの地平を規定するみえない権＝力として、〈神〉でもなく〈天皇〉でもなく、右手で核兵器、左手に平和憲法をもったあの女神がいたというわけだ。

加藤の照明は多くのことを考えさせるが、一つ疑問は、「クリスタル」現象をはじめ多くの事象を、アメリカの影の問題のみに絞りこみすぎているのではないか、たとえば「都市」という問題、つまりモダニティの問題こそが核心で、「アメリカ」はその戦後日本的一形態にすぎない側面があるだろう、ということである。〈高度成長期のぼく達に〝熱病〟のように取りついていた「向上」心は……アメリカというものの別の姿だったかも知れない〉と加藤がいうとき、わたしなら逆に、加藤のいう「アメリカ」こそを、近代世界を駆動してきた人びとの「向上」心の、〈戦後日本〉に個有のよりしろとしてとらえる方法をえらぶ。

こう批判を余白に記したとたんに加藤自身が自己の図式をつきぬけて、「高度成長」自体の問題、つまり国家の解体よりもいっそう原的な解体としての〈自然〉の解体の問題にふれている。公害の激化の背後に日本人の〈自然〉への甘えがあったと加藤がいう時、加藤は江藤の思考の方法を、巨大な射程に向かって解き放つ。「戦後思想」への批判者たちは、アメリカの傘の下で反米を叫ぶ左翼の甘えと自己欺瞞をいうが、〈自然〉なしには生きられない存在たちが〈自然〉を解体し汚染しつくすことの身勝手と自己欺瞞については言わない。

〈右手に核兵器をもつ女神〉によってしか戦後の平和も民主主義もなかったのはなぜか。日本人が自力で天皇制の呪縛から自己を解放することがなかったからである。戦後日本の数々の擬制の根源はこのことにある。今日の貿易不均衡の主要な原因は経済学者たちのいうように、アメリカ自身にあるだろう。けれどもこの診断と処方の間のずれを成型する磁場それ自体は、日本人が自己の問題を、自己自身の手で解決しなかったことのはるかな応報である。

強い父親に反抗する少年の姿には美しさがあるが、その少年が二十年後も年老いた父を打ちつづける姿は醜い。〈戦後民主主義〉は今論壇の老父である。威勢のいい若者たちが、右から左から、まわしげりにする。〈戦後民主主義〉の甘えと自己欺瞞とを、今まわしげりにしているその息子たちが、父親とおなじかたちの誤りを、もっととりかえしのつかない仕方で、しようとしている。

間身体としての家族——現代社会の健康と空虚

一九八五年六月二十八日

『現代思想』（六月号）の〈家族のメタファー〉は、読みごたえのある特集である。

長島信弘の短いが明快な論文「社会科学の隠喩としての家族」は、人類学の到達として、「家族」というものが人間にとって普遍的なものだという考え方が解体しつくしていることを報告している。福井憲彦「家族の多様性」、落合恵美子「〈近代家族〉の誕生と終焉」もまた歴史学、社会学の成果の上に、今日「家族」として表象されるような家族が、短い近代の産物であることを論証している。

同時に落合が「近代家族からの解放」として描くのは、当面アメリカ等にみられる「自立した諸個人の共生の場」という、より徹底した近代化の方向でもある。落合らがわずかなデータから性急に、非近代社会のゲマインシャフト（共同態）や、男女の〈異質的相補性〉などを否定し去ろうとすることは、社会科学としてはもちろん粗雑な誤謬だ。けれども当面は近代化の徹底という方向にしか出口のみえない立場の存在は、現存の差別の構造のうちに根拠をもっている。

上野千鶴子は吉本隆明との対談の中で、「吉本さんのフェミニズム理解は実はフェミニズム誤解じゃないかと思ってるんです」と言い切っている（「フェミニズムと家族の無意識」）。吉本は、①妊娠・出産の問題が「女性の性行動を抑圧してる最大の要因」ではないか、②だから子供の数は二人から一人、やがてゼロになる、③ゼロになれば「家族としては成立しない」、④以上は「生活者の実感」から来る、とのべる。上野は①②を女への誤解として批判しながら、④「生活者の実感」を疑うところからしか女性は解放されないと言う。吉本もまた（『試行』などで批判者を片っぱしから罵倒する時とはちがって）、ここでは批判を虚心に受け止めようとしている。

「〈対幻想〉は近代の悪夢ではないか」という上野の吉本への疑問も面白い。けれども〈対幻想〉のイメージの内に、双個性を自明のようにすべりこませるという仕方が近代の産物なのだ、という方向に、〈対幻想〉概念の普遍性を救出することもできると思う。

三枝和子は『春秋』（四月号、春秋社）の〈対幻想〉特集の中で、「男が『人間』というところに収斂して行くのならば、女は『生きもの』というところに拡散して行く」と語る。上野のそれ以前の仕事の中でわたしが一番違和感を感じていたのは、そのはげしい〈性差異否定論〉であったのだが、今度の対談で上野は注目すべきことを言っている。男性の育児参加というフェミニストの要求は「歴史上前代未聞の非常識な要求」である。けれども、共同体の解体した現代では、「相手をひきずりこむ他に」女は子供を背負いきれない。「私たちはいま、非常識な時代に生きているんだから、非常識な要求をしてるんだ」。

つまり〈性差異否定論〉とは、この「非常識な社会」を生きる女たちの戦略的言説にすぎないことを、上野は明晰に意識している。男女の異質的な相補性という事実の否認に向かう落合らの一見奇妙な執念も、この戦略的言説としてはじめて了解することができる。理論家上野は、その言説の戦略性の水準を透明に定位しておいた方が、エコロジストとの不要な対立等も避けうるのではないかと思う。

宮迫千鶴が「都市型社会のフェミニズム」(『へるめす』三号)で、青木やよひの〝身体のエコロジー〟と上野の〝両性自立論〟とを、いわば、根源課題と当面課題との戦略的重層性として両立しようとしていることは、明快である。(宮迫のこの論文の後半の、わたしの文章への論評は、いくつかの勝手な誤読と、鋭い着眼との取り合わせサラダのごときもので、一口に対論することはやめる)。

志貴春彦「反家族の命運」(『現代思想』六月号)は、家族に代わる関係の創出をめざしたクーパーやレインの実験を紹介している。つまらない読後感が残った。クーパーやレインの苦闘がつまらないわけはない。それらの格闘を、つまらないもののように「総括」してしまう、わたしたちの時代の文体のつまらなさである。全共闘運動も文化大革命もつまらない悪夢であった、という七割方正しい真理を、十割のように、それだけでしかなかったもののように、葬り去って安心してゆく時代の文体のつまらなさである。クーパーもレインも結局は「家族」に戻った、「人の子だった」というような物語から、わたしたちは、何を安心したいのだろう。

別役実と山崎哲は、「家族」をめぐる現代の一見奇妙な犯罪や事件にふれながら、家族の関係が「現代的」に明快で影のないものになればなるほど、意識の名づけることのできない奇妙な欠如を開口してしまうといった、不気味さをそこにみている(同誌「事件のなかの家族神話」)。

竹内敏晴のレッスンにふれて山崎は、現代の青年たちの、「指示を待っている肉体」について語る。意味という病を病みたがっている身体、というべきだろうか。七〇年代のラディカリズムは、意味という病を病みきった者の栄光と悲惨であった。八〇年代の身体は、意味という病さえ病むことのできない空虚のなかにいる。この健康の空虚は何か、というところに、現代の身体や間身体としての家族の問題は収斂していくように思う。

「恋愛は論じるものではなく、するものだ。とおなじように性にまつわる事柄は、論じられるまえに、されてしまっていることだ」という『対幻想』の書き出しを、一月の時評でわたしは、共感をこめて引用した。上野は、それはこれらの領域に特有なことではないという正当な理由から、吉本とわたしをコミにして批判している。しかし吉本も正しくいうように、吉本とわたしの立場は別である。わたしが引用のすぐあとで、けれどもそれは「この領域に個有の本質にまつわることとなのか」と問い返したのは、同様の思いもあったからである（新聞の印刷では固有に変わったが）。

このことの確認のあとで、わたしと上野は反対の方に分かれる。上野は、だから恋愛や性についても大いに論じようというのだが、わたしは反対に、だから人生のぜんたいが「論じるよりも、するものだ」と考えている。論を大切にしないということではない。千倍もさらに大切なものがあるだけだ。恋愛や性の領域だけに限らず、「思想を実践する」といった倒錯した生き方を、したくないと思う。存在することのしずかな感動を分かち合うだけでいいのだ。

〈実感〉を疑え、という上野の主張は鋭い。けれども同時に、〈実感〉がすでに信じられないところに現代の「気味悪さ」をみる別役＝山崎の直覚とそれはどうかかわるのか。〈実感〉を手放した身体が〈観念〉という病を呼ぶのだ。〈実感〉を疑うのでなく、〈実感〉を信じつつ相対化するということ、自己の実感を信ずると共に他者の実感（他の性、他の文化、他の時代の実感）をも信ずること、自己のまた他者の内部のたがいに矛盾する実感たちを、矛盾をたしかめながら積分してゆくという方法だけが、「家族」や性の領域の問題を扱うことのできる方法だと思っている。

都会の猫の生きる道——教育という視点の彼方

一九八五年七月二十九日

ニューヨークでネコを飼うときは、去勢するのが普通だという。そのことを「ネコのためだ」という人がいて、背筋が寒くなったことがある。ネコの去勢をアメリカ人はフィックス（fix）というが、これは日本語の「しつける」という語感を思わせる。

人間の身体というものを知りつくしていた野口晴哉の観察によれば、わたしたちが普通、子どもや赤ん坊のためにするのだと思い込んでいる育児法とか「しつけ」の仕方の多くの部分は、大人の都合にすぎないという。人間の都合でネコを去勢する都会の市民たちとおなじに、わたしたちはそれを自分で「愛情」と錯覚している。

『中央公論』（八月号）と『思想の科学』（七月号）とが教育問題を特集している。『子どもとゆく』（子どもとゆく編集部）が創刊され、また大冊『子供！』（晶文社）が刊行された。

小田晋「〈いじめ〉時代の連環構造」は、『中央公論』の特集の主柱となっている。一九八五年の社会病理のキーワードが〈いじめ〉であるとし、そこから現代社会の全体を考えてみるという企画は的確であり、魅惑的である。ところがそれへの小田の診断と処方とは、啞然とさせるものである。たとえば一部の精神病院や産婦人科病院などの陰惨な抑圧の実態が明るみに出され始めたことを、医師である小田は、「新聞の医療キャンペーン」による「医師いじめ」として問題とする。「男女雇用平等法」は「女性権力者の登場に道をひらく」という角度から見られ、文化庁長官のレイプ（強姦）発言をめぐる国会での「騒ぎ」は、「権力をにぎり強者となった女性たちが居丈高となって男たちの落度を咎め、いびったり」する事態とみられる。教育の問題自体については、「学校と父母が警察アレルギーを脱却し」家裁が刑法犯として取り扱うなら、つまり子どもを犯罪者として取り締まることをもっとやれば、学校の雰囲気は「明朗なものになる」というものである。

「弱者」による「強者」の糾弾が、時に過剰で醜悪な様相を持つということ、現代社会では「強者」が余裕を失って、寛容をかなぐり捨てていること、小田のこれらの指摘は一応正しいと思う。弱者のルサンチマン（うらみ）からくる道徳主義や「正義」感などというものが実は醜いものだということは、ニーチェやロレンスがみていたとおりだ。

けれども同時に、弱者に少しでも自分の立場をゆるがされたときの抑圧者のルサンチマンは、一層醜く、危険なものだ。それは弱者の憎悪と同様に、人間の歴史の暗流であり、そして同様に、「道徳」や「倫理」や「正義」感のようなものとして当人たちには意識されている。「戸塚ヨットスクール」への論壇の一部の共賛と同様に、小田の言説を黒々と彩っている悪意と「制裁」への志向とは、このような、立場を脅かされている〈強者のルサンチマン〉である。

七〇年代の反逆が、弱者のルサンチマンの噴出であったとすれば、それへの反動の季節としての八〇年代は、強者たちの居直りの時だ。レーガン＝サッチャー＝中曽根型の政治から㊎ビの風俗にいたる、居直った強者たちによる差別の、臆面もない顕在化の構図。〈いじめ〉が現在のキーワードであり、そこから現代社会の全体をみはるかす地点であるのは、このゆえである。

森崎和江「教育の原点での自己と他者」(『思想の科学』)は、このような構図の転変の一切を生み出してゆく、強者や弱者の「存在の矛盾」の問題と格闘している。終わりの数行を引用しておきたいと思う。

〈草の存在が見える人間になりたい。今日それができたとしても明日もまた可能だとはきまっていない。子どもも大人も日々自分とたたかわねば、他者は見えなくなることを知っていたい。

そのことを体得しあえる関係を教育の現場として、随所に求めたい〉（傍点引用者）

鳥山敏子『からだが変わる　授業が変わる』（晩成書房）は、このような〈関係の原質〉にむけて、自分と闘い続けることをとおして、どんなにレアルでファンタスティックな関係のるつぼを現出することができるかということを実証している。悪人正機ではないが、学校の中でさえ教育は可能であること、教育の中でさえ関係は可能であることを鮮烈に開示している。

『思想の科学』の特集の問題設定「教育にとって自由とは何か」を、批判的に転倒しながら、ライターの一人高橋幸子は「自由にとって教育とは」と正置している。「学校にとって生徒とは何か」という逆立ちした発想で規則や管理が敷かれている学校も多い。「生徒のため」と思い込まれていることはニューヨークのネコと同じだ。

『子どもとゆく』は、「教育」とか「学校」というワクを主体としてみることをやめようとする人たちのネットワーク誌だ。「え、これが二五〇〇円」などとあまりの小ささを、『ぴあ』の特大号とくらべてはいけないと思う。手づくりなのだ。

『子供！』は、『モア・リポート』（集英社）を編集したスタジオ・アヌーの企画で、小中学生を中心に百七十四人の子どものインタビュー集である。中・高校生千百人の証言集『おれたちの教育直語』（径書房）と並んで、子どもの現在が語る直接的なドキュメントである。

たくさんの「ふつうの」子どもと交じって、中学生で出産した子、売春していた子、登校拒否の子、盲学校、特殊学級の子どもたちもいる。本人が言うとみんな、どこか明るい。出産した子はインタビューの「最後になにか」といわれて、「うーんとね、ユリと太郎（赤ちゃん）は人が思っているほど暗くありません。ユリと太郎はゆったりと生きます！」と言い切っている。

教育上の新しい試みで育った子どもたちもいる。いいことばかりはしゃべっていない。それがいいと思う。自由な教育で有名なイギリスのサマーヒル・スクールに留学中の十二歳の女の子はどうなったか？「髪を染め、耳にはピアス、指には色とりどりのマニキュアをした、ギンのパンク少女」。ロックバンドを友だちと組んで反核の歌を歌う。性格が変わった。笑わなかった自分が、「今なんて人を笑わせられるようになったし、いっつも笑いがとまんないもん。それから、自分のことをやる前に、かならず人のことを考えられるようになった。」

こういう変化をいいと思うか悪いと思うか、判断は読者に任せられている。わたしは「いい」と思ってしまうが、そんな学校にやらなくてよかった！と思う親も多いだろう。「ピアスだけはからだにわるい」とか「反核が気にくわん」という立場もあるだろう。

そういう議論を限りなくすりぬけてゆく動物のように、子どもたちがいる。

夢よりも深い覚醒へ——色即是空と空即是色

一九八五年七月三十日

在日外国人の指紋押捺の問題は、今年の夏の日本社会の思想的な焦点となる問題のひとつである。在日外国人の半数に近い三十七万人が、八月九月をピークとして「登録証」の切り替え時期にあたり、数千人が指紋取り立ての拒否を予定しているからである。もちろん大部分が韓国人・朝鮮人だが、五人のアメリカ人をはじめ、イギリス、イタリア、ベルギー人などもすでに指紋押捺を拒否している。田中宏「『人さし指の自由』と日本社会」（『経済評論』六月号）もいうように、この問題は日本社会の国際化のメルクマール（指標）である。『季刊三千里』（三千里社）の夏号はこの問題を特集している。

この運動の特質は、これまでの民族団体の主導してきた運動とちがって、「一人の自立した個人・市民」としての拒否を原点とする下からの運動であることだという（パク・イル「〈個としての主体〉を尊重しあう」同誌)。また運動の核心は、今年十六歳になる三世・四世たちだという(崔昌華他『ひとさし指の自由』社会評論社)。

　この問題自体の考察は同書や前記特集にゆずることとして、ここでは従来、日本人があまり考えてこなかった問題、〈在日〉異民族の思想の可能性ということを考えてみたい。

〈在米〉日系人の思想には三つの世代があるという。〈一世〉は「祖国」に幻想をもつ民族主義者だ。〈二世〉は逆に「アメリカ」に幻想をもつ同化主義者だ。〈三世〉になってはじめて、どちらの国家や市民社会への幻想からも自立した、白人や黒人たちと異質で対等の、思想の主体が形成されている。実際の世代と対応することが多いが、たとえば二世でも感覚は〈三世〉である人びともいる。

『〈在日〉という根拠』(国文社)や、斬新な井上陽水論(「陽水の快楽」『文藝』六月号)でデビューした竹田青嗣は、こういうことを言っている。ある時期自分はカントやヘーゲルやサルトルをけんめいに読んだけれどもさっぱり分からない。ところがフッサールを読むとまったくすらすら分かってしまった。現象学の考え方は、在日朝鮮人として自分が、〈在日〉ということについて考えて来たことの順序と重なり合っている、と(『Harvester』一七号、はーべすたあ編集室)。在日朝鮮人・韓国人によって生きられている問題と、現代思想の前線的な発想の根にあるものとがスパークする回路のひとつをみることができる。「世界」は存在するのではない、人びとの欲望の相関者としてはじめて色めき立つものだ、という竹田の世界感覚は、自分にとってのもののみえ方が、まわりの人びとにとってのもののみえ方と、どうしようもなくズレている、という事実を、日常の経験としてきた人間の感覚ではないかと思う。

竹田の文章が要所で放つ「ほんとうに」という副詞は、書くことの外部からくる息づかいのように、彼の論理の展開の、生きられる明証性のようなものを主張している。宮沢賢治は「ほんとうの」しあわせとか考えとか世界を求めた。竹田の断念は、〈真実〉を方法の場所に、形容詞でなく副詞の場所にまでしずめている。

丸山圭三郎は、マルクスとフロイトとニーチェとソシュールを、偉大な解体＝構築者たちの系譜としてとらえた（『文化のフェティシズム』勁草書房）。これに対して竹田は、前二者と後二者との間に切断線を引き、前二者を「天才の仕事」としつつも、後二者にとりわけほんとうに共鳴しているようにみえる（丸山との対談『記号学批判／〈非在〉の根拠』作品社）。

この切断線の引き方は、「ほんとうの」と「ほんとうに」という、思想の文体の差異とかかわり、そして〈在日〉という根拠の、方法性、〈非在〉性と照応している。

どんな「真理」の体系も底ぬけであるということがわたしたちにとって真実であるのは、ゲーデルが数学的に証明したからどうとかということではなく、戦後社会の転変や二〇世紀のいくつもの理想の崩壊から来ているのだと竹田はみている。けれどこのことをいまさら言いたいのではなく、それは出発点にすぎない。だから現在重要なのは、この「無根拠性」にもかかわらず「なぜ、言葉に動かし難いリアリティが訪れたり去っていったりするか、ということのほうなのである」（同対談）。

正しいと思う。

竹田がその井上陽水論で書くのは、たとえばつぎのようなことだ。人間は挫折をとおして、憧憬や感傷や理想を奥歯で噛み殺すリアリストになる。「陽水にもその痛恨が滲みなかったはずがないが、彼は自分の中のリアリストの方を噛み殺したのだ」。〈色はにほへど〉の「いろは歌」の結末を、〈あさき夢みじ　酔ひもせず〉というもとの読み方から転回して、〈あさき夢みし　酔ひもせず〉というひとつの〝口惜しさ〟としてとらえた、ビューティフルな誤読ともいうべきものは、新鮮な衝撃をわたしに残した。色即是空ではなく空即是色こそ、わたしたちの時代の、課題なのだ。

夢から醒める、ということが、感動の解体であるばかりでなく、いっそう深い感動の獲得でもある、というところにつきぬけていく力として、フッサールは（井上陽水は）、竹田にとってあるようにわたしにはみえる。

日本人にとって、在日異民族の問題は、非常に特殊な、部分的な問題であるかのようにみえている。けれども日本語の思想世界が、幾十万という民族的〈他者〉をその内部にもつこと、かれらが日本語で考えそして書く、独自の主体として立ち現れているということ、そしてかれらのさらに周辺に、混血者という二重に境界的な思想の世代を形成しつつあること、これらのことは、この思想世界の前線に、かけがえのない開口部を形成している。

フッサールもそしてマルクスもフロイトも、ドイツ語で考え、そして書くユダヤ人だった。ヨーロッパ世界の中でユダヤ人が最も創造的な思想を生み出してきたのは、かれらがその生きる世界の中での〈他者〉でありつづけたからだ。ユダヤ人と韓国人・朝鮮人との民族的なアイデンティティのあり方の相違、ヨーロッパ社会と日本社会との性格の相違に応じて、〈在日〉韓国人・朝鮮人は、ヨーロッパのユダヤ人とは異質の仕方で、けれども同様に創造的な思想の主体たちとして立ち現れるだろうし、それはわたしたち〈在日〉日本人たちの思想に、鮮烈な刺激を与えつづけるだろう。

もちろんそのために、時代おくれの悪法やその他の差別が存続してもよいということにはならない。幾人かの偉大な思想家を生むことよりも、ふつうの人間が背すじをのばしてかったつに生きられるということの方が、思想としても大切なことだからであり、そしてまた、すぐれた思想を生み出す力をもつ矛盾とは、〈不幸〉だけから来るというものでは断じてないからである。

歴史の鏡・文化の鏡——三つの四十年の対照

一九八五年八月二十九日

旧約によれば、モーゼにひきいられたイスラエルの民が「人の住む地」に到達するまで、四十年間を荒野に流浪したという。また神に救われた民が、そのことの記憶を四十年間しか保ちえず、ふたたび争乱と困苦を招いたという伝承が幾度か語られている。ナチス・ドイツの降伏からちょうど四十年目にあたる今年の五月八日に、西ドイツのヴァイツゼッカー大統領は、これらのいいつたえを引照しながら、連邦議会で次のような記念演説をおこなっている。

「四〇年というのは、あることに責任を負う世代が完全に交代するために必要な年月である。この年月は人間の意識に、暗い時代が終わり新しい良い未来が開けるという気持ちを引き起こす。また、忘れ去ることの危険性と、その結果への警告をも生じさせる」(『エコノミスト』八月十三・二十日号、北村正任報告、他)。

この八月十五日には日本もまた敗戦四十年目を迎え、『世界』はこのことを特集している。巻頭の日高六郎「三つの四〇年目」は、日本の戦後四十年を他の二つの戦後四十年と比較することをとおして、その特質と問題点を浮き彫りにしている。

一九四五年の敗戦から八五年の現在までの四十年間を、過去の方向に折り返してみると、一九〇五年、日露戦争の終わった年から四五年までの、四十年と同じ長さだ。日露戦争から大正期、昭和の戦前・戦中期をへて敗戦に至る年月とおなじ歳月が、敗戦から現在までに流れた。日露戦後の四十年間と、昭和の戦後の四十年間を、日高はまず比較している。

これを歴史の鏡とすれば、もうひとつは文化の鏡といおうか、はじめにふれた西ドイツの〈四〇年目〉と、日本の四十年目とを日高は比較している。

一九八五年の日本において、戦争体験は「風化」しつくしているともいわれる。日露戦争の戦争体験は、その「戦後」四十年間をつうじて、権力も民衆も共に語り伝えて、決して「風化」することはなかったと、日高は自分の少年期・青年期の体験として証言している。その語り伝えられ方は、自国の力の過信を増長し、やがて国民を四十年後の敗戦にまでみちびいてしまう性格のものではあった。けれども日高がここで確認していることは、「四〇年の歳月」が歴史の体験を風化するかどうかということは、けっして不可避の自然現象のごときものでなく、現在を生きる世代の意識的、無意識的な選択の帰結であるということである。

　日高が二つ目の鏡とするのは西ドイツの戦後四十年目であった。八月十五日を靖国神社「公式参拝」の日とした日本の首相と同じに、西ドイツの大統領もまた、この記念日をまず戦争の犠牲者たちの慰霊にささげた。けれどもその慰霊の仕方は、日本の首相のそれとは、反対の方向を向くものであった。

　この保守系の老政治家の追悼は、次のような人びとにまずささげられる。

「ドイツの強制収容所で殺された六百万のユダヤ人たち、戦争で苦しんだ諸国民、とくにソヴィエトやポーランドで生命を失なった無数の市民たち、ドイツ人としては、帰郷中に空襲で、あるいは監禁や追放中に命を失なった同朋兵士たち、（ナチスによって）殺害されたシンティやロマのジプシイたち、同じく殺害された同性愛者や精神病者たち、宗教的政治的信条のゆえに死ななければならなかった人たち、処刑された人質たち、我々によって占領されていたすべての国々で、レジスタンスの運動に参加したために犠牲となった人たち、ドイツ人でレジスタンスに参加して犠牲となった人たち、たとえば公務員や軍人や聖職者や労働者や労働組合員や、そして共産主義者たち、積極的に抵抗しなかったものの、良心をふみにじられるかわりに死をえらんだ人たち。」

くりかえすが、これは保守系の大統領の演説である。

社会の中の弱い者、異質の者に向けられたあたたかいまなざしこそが、およそ自由と民主主義とを名のる政治家の最低限の感性であるということを、それは語っているようでもある。

そしてまた、謝罪すべき他民族への謝罪をきちんとおこなうことこそが、民族の誇りを国際社会の中で成り立たせてゆくための、最初の条件なのだという、国際感覚を示してもいる。

西独大統領はまた、戦後生まれの若い世代の責任と非責任とについて、次のように明晰に語る。

「わが国では、新しい世代が政治的責任を引きうけるだけに成長している。その若者たちは、四〇年の昔に起ったことにたいしては責任がない。しかし彼らは歴史の結果にたいしては責任がある。……若者たちの先祖は、苦い遺産を残してしまった。……過去に目を閉じるものは、現在にたいしても盲目である。非人間的なことを記憶することを拒むものは、だれであれ、新しい伝染病にかかりやすい。」

日高はこの二つ目の鏡を紹介した一節を、次のように結んでいる。「そこにはつらい真実を忘れないことこそ、ドイツ民族としての誇りであるという信念と、同時にそのことによって周辺諸国民との友好が可能になるという国際感覚がある。」

ヴァイツゼッカーのこの記念日の演説は、左右を問わず広範な国民の共感を呼んだばかりではなく、多くの周辺諸国の人びとにも深い感銘を与えたという。

ナチス・ドイツの「二〇世紀の神話」と、近代天皇制の国家神道の神話とは、二つの国家を四十年前の敗北にみちびいたイデオロギーであり、二つの民衆をそれぞれの死地に駆り立てた神話であった。今西ドイツの保守系の大統領は、かつてナチスに虐殺された民族の古い神話をも引照しながら、ナチスの神話の復活を許さぬ意志を、内外に明確にした。同じ〈四〇年目〉の記念日を中曽根首相は、この民衆を死地に駆り立てたその当の神話を、戦後はじめて「公式に」追認する日とすることをとおして、自国の民衆と周辺諸国の民衆が、もういちどあの屈辱と苦難の歴史をくりかえすという方向に歴史の梶を切ろうとしている。そして体制の如何を問わず、いっせいに周辺の諸国の反発と警戒の声を招いた。

同じ特集で、『ブリキの太鼓』の作者であるギュンター・グラスは、一九四五年五月八日が、たしかにドイツの軍事的敗北の日付だけれども、「精神的には、ドイツ人はすでに一九三三年一月三〇日（ヒトラーの政権獲得日）無条件降伏していたのだ」とのべている。

日本の民衆にとってこのような精神的敗北の日は、つまり自由と民主主義との実質を手放した日は、いつだったろうか。四十年前の八月十五日の敗北は、この第一の真の敗北、みえない敗北、たぶんなしくずしの敗北の、もう必然の帰結にすぎなかったのである。

現代日本の自己探究――アイデンティティの現在

一九八五年八月三十日

『中央公論』九月号が主特集「八〇年代日本のアイデンティティ」を、磯田光一、加藤典洋、四方田犬彦、津村喬、大沼保昭という、立場を異にする五人のライター、対談者によって構成したことは、読者層の世代的な脱皮を大胆にはかったものとして、新鮮である。といってたんに「ヤング」の好みに迎合したというものではなく、若い世代の真摯な中核ともいうべきものに照準をあてていることは、内容から知ることができる。

対談「柔らかい個人主義　硬い個人主義」（磯田光一×加藤典洋）の中で磯田は、こういうことを言っている。

「安岡（章太郎）さんの文体で、村上龍の世界は書けるだろうか。書けないとすれば、従来の日本語の散文にのりにくい現実が、高度成長の一九六〇年ぐらいを、境にして生まれてきたのではないか。」

磯田はここで、日本語・文化の持続ということにある危機を感じて、そこから八〇年代日本のアイデンティティの問題を問おうとしている。これに対して加藤は、人間が「アイデンティティなしで生きられるという事実からはじめたい」と語っている。

特集の主題である「アイデンティティ」ということば自体が、「自己同一性」「主体性」「存在証明」などといろいろな邦訳がこころみられたが、どれも原語のニュアンスを伝えきれないし、無理をして漢語におきかえても分かりやすくなるわけではないので、結局「アイデンティティ」というカタカナ語のままで、日本語の中に定着してしまった。このいきさつ自体が、「八〇年代日本のアイデンティティ」を考える上で、さまざまに示唆的であるように思う。「アイデンティティ」とは結局、「私とは何か」という問いに答える「自分らしさ」のようなものだが、この主題は、栗原彬や小此木啓吾によるエリクソンの仕事の紹介をつうじて、七〇年代の日本の真摯な若い世代を深くとらえた問題であった。八〇年代になると、このことばは若い世代の専有物でなく、全国民的に拡散され、最近では中曽根首相まで、「日本のアイデンティティ」を説くことになる。七〇年代の青年たちが追求したのは、まず個としての自分の生き方、かけがえのなさであったが、こんにち中曽根首相らが追求するのは、国家として、あるいは民族としての日本や日本人のアイデンティティということである。この変質のいきさつもまた、「アイデンティティ」という問題の現在を考える上で、示唆的である。

「アイデンティティ」とは、私とは何かという問いに答えるものであったが、同時にこの語は、この問いに「帰属感の問題として」、つまり、「私はどこに属するか」という仕方で答えさせようとするかたむきがあり、加藤典洋はこのかたむきにたいして、危険なものを敏感に察知している。

磯田と加藤の問題意識はこのようにすれちがうので、対談はあまりかみ合っていない。けれどこの「かみ合わなさ」に対して、二人ともじつに誠実に忍耐づよく、つまり安易な妥協もせず同様に安易なケンカもせず、発想のちがいを何度でも語り直している様子は、さわやかである。

四方田犬彦「ソウル東大門のポエティウス」は、論旨不明にしてなんとなく面白い。つまりアイデンティティなどしらないよというスタイルにおいて、『GS』グループのアイデンティティを体現している。（『GS』。浅田彰、伊藤俊治、四方田の編集による、前衛的に風狂な雑誌。冬樹社）。

津村喬は、加藤典洋の「アメリカの影」という視点を評価しつつも批判して、「アジアの影」

という視点こそ、現代日本のアイデンティティを照らし出す基本の視点であることを主張している。周辺諸民族との関係という、歴史の厚みをもって実在する問題に「目をつぶって居直るという風潮」を批判しながら、津村はこうのべる。

「日本は成熟したから大国の自覚をもって行動しなければならないという論議と、『ニューアカ』の、もう怨恨でもあるまい、軽快に時代と戯れ、逃げつづけようという論議とは、『成熟』を前提にした居直りとして奇妙に対応しあっている。」

大沼保昭「単一民族社会の神話を超えて」は、このような他民族との歴史的な、現実的な関係を正面からみすえた上で、国際的に開かれた日本社会の新しいあり方を構想している。『世界』の特集も、昨日みてきた日高やグラスの、西ドイツや戦前日本との対比に続けて、日高がふれなかった第三の鏡、「アジアからみた」戦後日本の実像を追求している。

「シンガポールの大虐殺について、シンガポール人は皆知っている。ところが加害者の日本では、そんなことをやったかどうかすら知られていない」と卓南生が語り、「たとえば石垣島の空港建設——住民が自然破壊という視点から反対運動をしています——が、フィリピンから見ると、東南アジア・太平洋地域の上に一つの軍事的な傘を置く大きな計画の中の一角だということが見えるわけですね」とルーベン・アビトが指摘しているように、日本人に見えにくい日本のアイデンティティが、周辺諸民族の目からは透明にみえている。(『教科書に書かれなかった戦争』『アジアからみた「大東亜共栄圏」』〔共にJCA出版〕は、この点の貴重な資料集である)。

元外務次官須之部量三と、衛藤瀋吉、田中宏、大沼保昭というアジア通四人の異色の顔合わせによる座談会「未決の戦後」(『世界』)も、啓発的である。

『思想』八月号も、朝鮮と日本との関係から「戦後四〇年を考える」特集を組んでいる。巻頭、和田春樹の「北の友へ、南の友へ」は、この日本と一番近い他国との、一番困難な関係を、多くのタブーを大胆に打ち破りながら、辛抱づよい情理をもって解きほぐそうと努力している。

『中央公論』の特集の主題にたちかえっていえば、現代日本のアイデンティティという問題にたいして、若い世代の思想家が答える仕方が二様であることを、ここではみてきた。一方は、アイデンティティなどというものは、わざわざ追求する必要のないものであり、むしろアイデンティティから自由に生きていく上で、結果として「自分らしさ」が出てくれればいい、という感覚だ。他方は、日本人のアイデンティティを、現実にある他者の視点をきちんとふまえるところから再構築してゆこうとするものである。

これらは現在の若い世代の最も敏感な思想家たちの、二つの基本的な潮流を代表している。どちらも旧来の「日本主義者」の、独善的な民族アイデンティティ論をのりこえ、同時にまた

「近代主義者」の、欧米のみを鏡とする国民の自己像をものりこえるものでありながら、そののりこえの方向において、主題の水準のすれちがいともいうべきものを、現在のところ、みせている。

地球生命圏の経済学——情報論と資源論の相補

一九八五年九月二十六日

「戦後四十年目」という節目を強く意識した八五年度の『経済白書』が先月発表され、『エコノミスト』は臨時増刊でこの白書を特集している。

経済企画庁の加藤雅らの執筆による白書全体の構成は、短期・中期・長期の三つの視点から日本経済をそれぞれ展望した三つの章から成っている。

第一章「昭和59年度の日本経済」では、当面の「安定成長」が楽観的に語られているが、ほぼ正当な見方である、ということが、特集の論者たちの一致した見解である。

第二章「新しい成長の時代」は、ほぼ今世紀末までの中期の見とおしで、①「情報化の進展」②「消費生活のサービス化、ソフト化、都市化」③「太平洋地域の高成長」の三つの要因に着目しつつ、大きな変化が予想されている。

①②にふれて特集で竹内啓が、ＧＮＰという指標をはじめ、これまでの、モノの経済を前提としてつくられてきた経済上の概念や考え方が、「役割を果たさなくなるかもしれない」とコメントしていることは、射程の大きい問題をはらんでいると思われる。

③については同特集の竹内宏「環太平洋地域はどこまで発展するか」と、『クライシス』（社会評論社）秋季号特集「アジア・太平洋圏」が、対照的な視点から、それぞれ詳細に論議している。

第二章の最終節では、労働時間短縮の必要性が、①ゆとりと健康と能力の維持向上のために、②失業を防ぎ雇用機会を確保するために、③先進国にふさわしい労働条件を実現するために、④内需を拡大するために、という四つの視点から明確に説かれている。この部分にはすべての論者が、立場をこえて共感している。

『経済評論』（日本評論社）八月号仲井斌の、西ドイツを中心とする西ヨーロッパと日本社会との経済文明の比較は、この点に関して、具体的で興味深い。西欧では五―六週間の年休と完全週休二日制は常識であり、労働者は一ヵ月ほどの夏休みをとる。「企業のために自らと家庭が犠牲になることは考えられず、自らと家庭のために企業は存在する」ことを、日本の経済文明との基本的な違いとして仲井は報告している。けれども日本の若い世代も価値意識は先進国型になりつつあるので、たとえば労働組合が青年の関心を再びひきつけうるか否かは、この新しい価値意識を組織しうるか否かにかかっているだろう。戦後日本のいくつかの論点において、優秀な官庁エコノミストが、革新派の運動よりも時代を先取りしてきたという事実を、白書のこの部分は思い起こさせる。

以上の二章とは対照的に、多くの論者が批判を加えているのは、「長期」の問題を扱った第三章である。三章では日本社会の「高齢化」の問題がもっぱら取り上げられているが、白書の主張は、はっきりといえば、年金と医療費補助とを大幅に削減すべしというものである。

このことの説得のために、白書はまず、「財政錯覚」という目新しい用語を押し出す。「財政錯覚」とは、国債を発行すると、将来の税金によって償還するのだから、国民は結局、増税と同じ負担を負うのだけれども、今すぐの増税ではないために、負担がふえないかのごとく錯覚してしまうことである。いわばローンを借りることで、経済にゆとりができたかのように錯覚することと同じだ。これが結局次代の国民の負担増となるという指摘は正しいし、説得力がある。

けれども第一に、この程度の論理は、これまでの経済政策の基礎をなしてきたマクロ経済学では、当然おりこみずみのはずであり、それを承知で政府は国債を発行しつづけた。今になってこのことを強調するのは、経済専門家自身には目新しくもないことを、国民に向かって説得するためである。第二に、周知のように最近の中曽根内閣の予算は「防衛費突出予算」といわれているが、財政錯覚論が強調されるのは、もっぱら「年金」と「医療」への社会保障を大幅に削るということを正当化する文脈である。この二つの意味で、高原須美子や田中直毅が特集で指摘するように、第三章は「行革路線を国民に納得させるためのもの」といえる。

日本経済の長期の展望をおこなう場合、人口の高齢化という要因だけを軸として予測を計算するという方法にどこまで妥当性があるかも疑問だ。

核戦争や〈核の冬〉は仮にないものと仮定しておくとしても、核実験や原子力発電自体による大気と土壌と水圏の汚染・荒廃の循環をはじめ、現代文明の今の方向への進展自体のもたらす地球生態系の変質は、日本列島に現在の規模で、また現在の体質で、ヒト科の動物が生息し繁殖しつづけているかという問題をはじめ、いくつもの巨大な変動要因を秘めている。

「次の世代へ一切のツケをまわして、あとは野となれ」という考え方の危険は、「財政錯覚」以上にとりかえしのつかない〈開発錯覚〉ともいうべきものを批判することばとしてすでに、自然保護運動などでも語られている。河宮信郎が資源物理学の視点から指摘するように、現在の物質的生産体制を一世紀の幅で維持することは、資源・環境の両面から不可能である（「科学技術文明の実体的構造とその限界」『理想』九月号）。
この点で河宮（『エントロピーと工業社会の選択』海鳴社）をはじめ、室田武（『エネルギーとエントロピーの経済学』東洋経済新報社）、槌田敦（『資源物理学入門』日本放送出版協会）、小野周他（『エントロピー』朝倉書店）などの仕事は重要である。

数十年という長期の問題を語るのならば、このような、人間と自然のあいだの物質代謝の総体についての予測と、それが人間たちの実践の選択によってどのように変更しうるかという複数のシミュレーション（計算にもとづくシナリオ）とを含む、地球生命圏全体のエコノミー、産出と変質と移転と消滅の連環と不可逆性とを、視界に収めておくのでなければ意味がない。狭義の経済計算の視野だけで精密な数字を出しても、人間の生きている条件と内容自体が巨大な変容をとげることをとおして、数字を無効なものとしてしまうかもしれないからである。

竹内啓らが経済学のモノばなれの方向を示唆し、河宮らが反対に、徹底してモノに即したシステム理論の構築をめざしていることは、一見対立するもののようにみえるけれども、わたしたちが生きてゆくうえで現実に必要であり、有効である経済理論の追求という視点からみると、二つの行き方は、「価値論的」および「実体論的」な、（あるいは「情報論的」／「資源論的」な、）それぞれの方向に徹底されたうえで、相補的に統合されるべきもののように、わたしにはみえる。次世代の経済学者の野心は、このような二つの方向への徹底と統合とに向けられるのではないだろうか。

過去の方向に四十年間をふりかえってみても、一九四五年の敗戦の時点で、現在の日本を予測するどのような「計算」が可能であったかを考えてみると、歴史の全体的な把握の中でしか計算は生きられないということが、言えるように思う。

〈新しい科学〉の冒険――近代科学の相対化

一九八五年九月二十七日

『理想』（理想社）の九月号は「科学・非科学・反科学」を特集している。

村上陽一郎×木幡和枝の巻頭対談「科学と非科学」の中で、芸術の仕事をしてきた木幡が、「科学は私に解放感を与えてくれた」と語っている。他方村上は周知のように科学の内部から、近代科学を批判的に相対化する仕事をしてきた。科学の内部から外部へと向かう軌跡と、科学の外部から内部へと向かう軌跡の交錯する対話となっている。

木幡はこの解放感の内容を、次のように語る。「例えば物事は非常に不確実で、分かりきることはありえないとか、部分に集中していても全体の問題が出てくる」ことを、科学は教えてくれた、と。このように、木幡に解放感を与えた〈科学〉は、旧来の「近代科学」にたいして根底から批判するものとして現れた、「ニューサイエンス」とよばれる一群の業績である。このニューサイエンスという地平で、科学の内在的な批判者としての村上と、科学の外在的な「鑑賞者」としての木幡が交錯し、共鳴している。

『理想』の特集は、主としてこのニューサイエンスを主題として組まれているが、『朝日ジャーナル』九月十三日号も「ニューサイエンスって何?」という小特集を組み、また『世界』に七月号から連載されている河合隼雄の「宗教と科学の接点」も、この流れの一環をなすトランスパーソナル心理学(個人をこえた心理現象の研究)を主題としている。

高エネルギー物理学から出発したシステム理論家カプラによる『タオ自然学』『ターニング・ポイント』(共に工作舎)をはじめ、ライアル・ワトソンの『生命潮流』(同)、量子力学をもとにしたボームの「暗在系/明在系」の理論、大脳生理学によるプリブラムの脳ホログラム論、これらを収めたケン・ウィルバーの『空像としての世界』(青土社)、および『意識のスペクトル』(春秋社)、ノーベル賞を受賞したプリゴジーンの「散逸構造理論」、レーザー研究で知られるハーケンの「シナジェティクス」(協同現象の学)、あるいはA・ケストラー、C・G・ユング、G・ベイトソンなど、さまざまな分野の科学者と思想家たちの理論がこの潮流に流れこんでいる。

当然それはいくつもの異質の水脈を含んでいるが、基本的に共通する特質として次の二つをあげることができる。

第一に、「近代科学」の前提する主体と客体の相互自立性や要素への分析・還元主義を批判して、人間主体を含めた世界の全体包括的な把握の方向へ、考え方の枠組みを転回すること。このことをとおして、先端的な現代科学の諸成果と、仏教や道教などの「東洋的」な世界認識との接近に着目すること。

そして第二に、たんに学問上の理論であることをこえて、エコロジー、女性解放、平和運動などを通底する理論として、〈生き方を変える〉実践をともなう思想として現れていることである。三十三歳でノーベル物理学賞を受賞した「ジョセフソン素子」のジョセフソンは十数年来瞑想を実践しているし、カプラやボームやウィルバーも禅や瞑想や太極拳を修行している。カプラが現在最も力を入れているエコロジーのシンクタンクは、思想家・行政家・草の根運動家を結集する組織として、この二月には「軍事・原子力産業の労働者の失業なしに、どうやって民生部門に経済の転換を成しとげるかという『経済転換会議』」を開催している（『朝日ジャーナル』同号）。等々。


このようなニューサイエンスにたいする批判は、四つの方向からに整理してみることができる。

まず前記の第一の特質にたいして、二つの対照的な方向からの批判がある。

第一に旧来の「近代科学」の立場から。河合も指摘するように、とくに日本の科学者のばあい、欧米の科学者以上に一般に考え方が「固い」（『世界』七月号）。仏教や道教の世界像や、一般に近代科学の説明方法になじまない事象を主題とすると、頭から「いかがわしい」「うさんくさい」という拒否反応を示すことが多い。この「いかがわしい」「うさんくさい」という反応は、それ自体非分析的・没合理的な、いわば相手への「全体論的」な直感であるが、自分自身がとらわれている考え方の枠組みや価値意識から外れた新しい発想や、異質の価値感覚をもつものに対する、傲慢な自己防衛の反応であることも多い（コペルニクスもダーウィンもマルクスもモオパッサンも、その当時は「いかがわしい」言説であり作品であった）。

第二に反対に、哲学や宗教の世界像の方を、「科学」によって基礎づけることは不要であり、有害でもありうるという主張である。たとえばカプラの『タオ自然学』では、ブーツストラップ理論という素粒子物理学の理論と、易《えき》や華厳《けごん》の世界像との同型性が説かれている。けれどもこのブーツストラップ理論が批判してきた、クォーク還元論を力づける観測もその後みられて、学界の主流は今も「クォーク派」である。ブーツストラップ派も更なる立証を準備していると伝えられるが、いずれにせよこの種のこころみは、哲学や宗教の世界把握を、時代の科学の学説と無理心中させることもありうる、両刃の刃だ。

〔無理を承知で短い字数で解説すると、原子→素粒子→クォークといった「究極的実体」に世界を分析・還元してその組み合わせで世界を説明しようとする試みの現代版がクォーク還元論。このような実体の探究には際限がなく、微小単位から生命・精神現象に至る諸現象の、靴ひも（ブーツストラップ）のように入り組んだ関係の流動する総体として世界を把握しようとするのがブーツストラップ理論。〕

第二の特質にたいしても、同様に対照的な、二つの方向からの批判がある。

第一に、たとえば『理想』特集の井上忠×伊藤笏康対談では、ニューサイエンスの「思想的内容」は正しいけれども、「生活を変えよう」という実践と結びつく点は「いかがわしい」としている（ウィルバー翻訳者としての謙遜もあるかと思うが）。反対に高木仁三郎は、ニューサイエンスは具体的な生活・実践に結びつかないと観念論におちこむとして、「軽薄な科学主義の過渡性を離れて、自然とのトータルな出会いに向けて」独自の実践をしてゆくかぎりで大いに期待しうるとしている（『朝日ジャーナル』前掲号）。

『理想』特集の後半部分、川本隆史、山本哲士、最首悟、石川憲彦、水口憲哉、藤田祐幸らに

よる多様な観点からの「近代科学」批判も、具体的に重要でかつ困難な多くの問題を提起している。

これらの論点ともからみながら、ニューサイエンスの衝撃とそれへのさまざまな応答は、今世紀末の思想の最も刺激にみちた界面のひとつを形成してゆくだろう。

近代を駆けぬける身体——〈私〉はどこにあるか

一九八五年十月二十八日

一九六七年にはじめておこなわれた人間の心臓移植は、八〇年代に入って急激に例数を増し、昨年は一挙に四百件に迫った（立花隆「脳死」『中央公論』十一月号、他）。脳死の問題じたいは明日とりあげようと思うが、器官移植の拡大は現代の思想にたいして、身体とは何か、自己とは何かという問題をあらためて提起している。

義手・義足やかつらの類は古くからある。腎臓など内臓器官の移植も現代は可能となった。最近は「就職用の美容整形」が学生たちの間でふつうに語られるように、顔もとりかえのきくものになる。このように身体の器官やパーツをつぎつぎととりかえていくと、どこをとりかえれば「自分」でなくなるかという問題がおこる。

大学やカルチャー・センターなどの「自我について／関係について」というゼミナールで、

最近数年間いくつかのグループの中でこの質問をしてみたことがある。理屈でなく、実感としてどう感じるかで答えてもらった。九割近くは脳、あるいはそのはたらきとしての、意識とか記憶とか判断力とか価値観と答える。背骨とか顔とか生殖器という回答もまれにはあるが。

脳としたばあい、実体としての脳みそ自体か、機能としての意識現象かとつめてゆくと、脳皮移植もあるように、意識や記憶だということになる。

それでは精巧なロボットに、脳の一切の機能を移転することができれば、今の身体は脱ぎすててよいか、そのロボットが「自分」だと思うかと問うと、七割余の人は二の足をふむ。それで問題は最初に戻って、「自分」とはほんとうに何なのかということになる。

つきつめてみることをしなければ、近代人の多くはばくぜんと、脳のはたらきとしての意識が「自分」の主体で、身体の他の部分はその所有物、入れ物や乗り物や付属品のように感覚している。

バーバラ・ドゥーデンの「身体を歴史的に読み解く」(『思想』十月号)は、こういう近代人の身体感覚が、人類の歴史の中では、特殊なものであることを示唆する。彼女は、一八世紀前半のドイツの医師が詳細につけていた日誌を分析して、数百人の女性患者が、自分の身体について語る語り口に着目している。彼女らの誰も自分の身体について、所有代名詞を使っては語っていない、等々。ドゥーデンはこれらのことから、近代化の直前にあるドイツの民衆の身体のイメージと感覚を再構築しようとしている。同誌巻頭の山田慶児の、古代中国の医学書を分析した「夜鳴く鳥」と共に、いわば〈身体の比較社会学〉のための興味深い素材を提供している。

「精神」こそが〈私〉であって、「身体」はその所有物である、という近代的な身体図式は、一七世紀デカルトによって史上初めて明言化されたけれども、当時の後進国ドイツの一般民衆の日常意識にこのことが浸透するのは、翌一八世紀も後半以降であるという。

高橋康也の「ハムレット的身体」(『へるめす』四号)は、近代の身体史を駆けぬけた身体としてハムレットを照射している。

文学にあらわれた「最初の近代人」といわれることもあるハムレットは、亡霊の場や、共同体を身体とみる感覚にも示されるように、前近代の身体感覚をまず生きていたはずである。けれども第一幕二場、新国王の結婚・即位発表の場に初めて登場するこの王子は、母を奪い父をおそって即位した新国王、今はその妃である母、そして廷臣たちという複雑な〈関係の磁場〉で、交錯する視線にさらされる自己の身体のよそよそしさと、誰にも言うわけにはいかない「内面の真実」という、デカルト的な身心の分離を強いられる。やがて舞台に一人残されるハムレットの最初の独白は、「ああ、このあまりにも硬い肉体が／溶けて、露となってしまえばいいのに！」ということばではじまる。この身体を疎外する「内面の真実」としての精神が、王子を〈最初の近代人〉たらしめるのだが、ハムレットはやがてそれをものりこえて、現代的な「演劇する身体」に向かってつきぬけてゆくのだと、高橋は指摘している。

ハムレットが主体としての身体を再び獲得することができたのは、ハムレットの身体疎外が、デカルトのように原理的なものでなく、状況的な居心地悪さによるものでしかなかったからだということもできる。

けれどもこのように、〈関係の交錯〉の強いる居心地悪さが、原理として一般化した状況こそが〈近代社会〉ではなかっただろうか。近代的自我とは、このような「居心地の悪さ」の中で、身体がみずからの「内部」に向かって析出する幻影であるかもしれない。

小林敏明「自己の解体と役割行為」（『思想』十月号）は、メランコリー、躁鬱病、分裂病などを素材に、廣松渉とデリダを架橋しつつ、このような〈関係からのずれとしての自己〉を追求している。

『全生』十月号（整体協会）におもしろい記事がある。出産直前になっても頭を下にしていない胎児（逆子）は、難産となるが、母親が気を整えて胎児に話しかけ、「さかさまよ、位置を直して」というと、グルッとまわって自分で位置を直すことが多い。あるいは気の操法に熟達した人が母体の外から話しかけても、信頼関係が深ければ、たいてい位置を直す。イスラエルの母親がこの評判をきいて、整体協会の創始者である故野口晴哉のところに逆子を直してもらいに来た。野口はヘブライ語はしゃべれないので、仕方がないから日本語で、「オイ逆さまだぞ、頭は下が当たり前なんだぞ」と言った。そうしたら、翌日ちゃんと正常に生まれたという。胎児は、日本語の単語を知っていていうことをきくわけではない。言葉を発するときにこめられた〈気〉に感応しているのだと、わたしは思う。

「神秘的」なはなしではない。「硬い身体」にとじこめられて他者から孤立した「内面の精神」だけが〈私〉だという、近代的な身体感・自我感から解放されれば、ごくあたりまえのことである。

わたしたちが言葉を交わしているときに、ほんとうはたがいの身体の全体が感応し合っているのだ。ことばとは、このような間身体の呼応のことのは、事の一端をなすにすぎない。言葉は気の波がしらである。

ただ人間の指先や耳たぶなどに鋭敏な気が集中してゆくように、この波頭には、気が凝縮してこめられている。非近代社会の人びとが呪術のうちに感受していた「言葉の力」とは、このような現象の核に、様々な意匠の神話を分厚くまとったものではなかったか。

そして今日、モダニストもポスト・モダニストも、プレ・モダニストと同様に、この言語のもつ力に幻惑され、自己とは何か、主体とは何かについて、様々なる意匠の神話をくりひろげている。

欲望する身体の矛盾――〈私〉はいつ死ぬか

一九八五年十月二十九日

――人間はそいつを理性と呼んで、どの動物よりも動物らしくするために使っています。

――メフィストフェレス

『中央公論』十一月号で立花隆が、「脳死」という問題をとりあげていることは昨日もふれた。『技術と人間』九月号もこの問題の小特集を組み、また同誌は三月臨時増刊号として、「脳死」の全冊特集を出した。

脳死の問題とは、人間はいつ死ぬのかという問題である。これまでは常識的に「心臓死」、つまり心臓が止まったときに人は死ぬものとされていた。けれども人工呼吸器などの発達によって、脳が死んでも、心臓は生かしつづけておくことができるようになった。そこで心臓死よりも以前の、脳死の段階でも人間を「死体」と扱ってよいかという議論がおこる。このような主張が積極的にでてくる背景は、心臓などの移植のために、生きている臓器を医師が早くとりだしたいからである。

今年に入って日本でこの問題が、「政治的」にも急速に熱い問題となった理由は、このような医師団体と一部議員のつきあげをうけて、「厚生省が積極的に音頭を取って、脳死をもって人間の個体死を認める方向に社会の合意を取りつけようと動きを開始しているから」である（立花論文）。（政治的な内幕の一部は竹村泰子が報告している。〔『技術と人間』九月号〕）。

心臓移植の世界的な「先進国」は、南ア共和国である。そこでは人種差別のために、有色人種の「新鮮な心臓」が、とりだされやすいためである。（心臓の凍る話だ）。

一九六八年に和田寿郎教授が日本で初の心臓移植をおこなったとき、生きた心臓をとりだすことは殺人であるとして、告発がなされた。検察庁は長期の慎重な取り調べの結果、不起訴とした。その理由は、心臓にメスを入れた段階でドナー（提供者）が、生存していたことを証明する「証拠がない」ということである。この種の手術で、医師は「証拠」を、相当左右してしまえるという疑問も残る。

けれども問題の一番奥は、医師の名誉心というような事柄ではない。心臓の供与によって、その長短は別として、生命を永らえることのできる患者の、切実な欲望が他方にはある。
大森曹玄老師がズバリというように、「人の心臓をとってまで生きたがる」のは、見苦しい(『技術と人間』同号)。執着である。我執である。けれども人間の九割位は、自分が実際に死にそうになれば、他人の心臓を移植してでも生きのびようと望む心を、どこか一隅にはもっている。

生きたい欲望と欲望とがせめぎ合っている。

「富士見産婦人科病院」の内臓摘出の被害者のひとり、小西熱子は、脳死という問題にふれてこう話している。自分は患者として、生きている心臓をとりだすための理屈として「脳死」を立法化する仕方には、反対です。けれどもこう言えば言うほど、なんだか自分が冷たいのではないか、利己主義ではないかと、何度も自分に問い返しています。同じ患者として、臓器移植をひたすら待っている人がいる——ということが、とてもつらいのです(同誌)。

たくさんのことを考えてきた人のことばだと思う。「脳死」という、この一見抽象的な、高度に「専門的」な問題の、血なまぐさい現場に、わたしたちを、それは一挙につれ戻す。

他者の死を待つ動物たち。それは、わたしたちであるかもしれない。死を待たれている身体も、またわたしたちであるかもしれない。

この血なまぐさい問題を抽象的に片付けるために、脳が死んだらその人間は「死んだ」と定義することにきめてしまおうと、オペレーショナルな理性はしている。（オペレーショナル。操作的／手術的。近代理性のいちばんスマートな手法は、現実の生々しい問題を、言葉の「オペレーショナルな」定義によってすりぬけてしまう仕方である）。

インド哲学の金岡秀友は、仏教の「供養」（自己を提供して他者を養う）という精神について、そのいちばん大切な核心は、それが自由な意思によること、この「自発性」がないかぎり、それは悪魔の知恵となると指摘している（同誌）。

脳死の状態の人間を「死体」として定義してしまおうという、立法化による解決は、この究極の倫理というべき〈自己提供〉の思想をさえ、悪魔の論理に転化するだろう。

脳は死んでも、身体としてのわたしは生きている。その生きている心臓をどうぞお使い下さいということであればこそ貴いのではないだろうか。

生命を欲望する動物が、その欲望をもつままで、意識のあるうちの自由な意思による登録で、その生きている身体を提供することであればこそ、行為は生きるのではないか。

そのような「生きた」心臓をいただいた者であればこそ、余分に生きられる幾日間か、幾年間か、幾十年間かを、一層深く生きられるのではないだろうか。その人はあるいはまたその自由な意思で、「脳死後の自己身体を提供する者」に自分を登録するかもしれない。執着から解き放たれた行動だけが、他者を執着から解き放つ力をもつからである。
欲望のない存在へでなく、執着なしに欲望する存在の方へ（真木悠介『気流の鳴る音』）。

どのように科学・技術が発達しても、文化・文明が身体を変質しても、人間は動物である。動物としての欲望は残る。欲望の矛盾も残る。人間のわずかな理性と自由意思とができることは、欲望の矛盾を矛盾であるままで、相克性から相乗性に転回すること、生きる矛盾をみにくい連鎖から、うつくしい連鎖へ転回することだけである。

八月のこの欄でふれた、西独ヴァイツゼッカー大統領の、「四十年目の五月八日に」という演説の全文は、『世界』十一月号に訳出されている。この演説が、政治のことばでありつづけながら政治のことばをこえる力をもっているのは、人間たちの生の矛盾の事実から目をそらすことなく、この事実を、〈抑圧を波及する連鎖〉であることから、もうひとつの連鎖のほうへ、ヨーロッパ的な視界で転回しようとしているからであると思う。

ウィーンのディスコでわたしが会ったユダヤ系の女の子は、東欧からの亡命者だった。端正な顔を一瞬みにくくゆがめて、ポーランド人への怒りを語った。つらい思い出があったらしい。彼女の生涯の夢は、南ア共和国に移住することだという。「そこでは私たちが自由なの」――西欧の「先進」諸国が中東欧の「後進」諸民族を圧迫し、中東欧の大民族が小民族を抑圧し、ユダヤ人を圧殺し、そのユダヤ人がイスラエルで南アフリカで、アラブ人を黒人を虐殺している。

ナチスの元外務次官を父にもつヴァイツゼッカーの演説は、このヨーロッパの苦痛の中で語られている。

それはアジアの苦痛ともおなじかたちのものである。

そしてまた、欲望をもつ身体たちの、関係の苦痛とおなじかたちのものだ。

〈透明な人々〉の呼応――「新しい運動」の困難

一九八五年十一月二十八日

『経済評論』増刊号の「市民のエネルギー白書」は、八五年度は『市民の原発白書』として、この問題に焦点をしぼって発行された。

その第一部「Q＆A〈それでも原発は必要か〉」は、「原発からの放射能はガンを引き起こさないか」「遺伝障害を引き起こさないか」「再処理工場は環境を汚染しないか」「原発誘致で『豊かな町』は実現したか」、など四十一の論争点について、わかりやすい説明を行っている。たとえば、「放射能はもともと天然にもあるものだ」という推進派の弁明にたいして、自然放射性核種と人工放射性核種の差異を示した説明などは、明快である。

「放射性核種＝放射能をもつ同位元素。地球上の生物は、カリウム40などの自然放射性核種がつねに、すでに少量存在する環境の中で適応し進化してきた。こういう物質を体内に蓄積しないしくみの生物だけが適応種として生き残り、繁栄してきた。しかし原発の生成するコバルト60、ストロンチウム90、ヨウ素131などの人工放射性核種は、現存する生物種にとっては未知のものだから、食物連鎖を経て幾万倍にも濃縮され、人体の骨組織や甲状腺に選択的に蓄積してガンなどの誘因となる。」

『世界』十一月、十二月号で仲井斌が、その直面する困難と課題を詳細に紹介している西ドイツ「緑の党」は、この原発への批判を中心的な主張の一つとして登場した政治勢力である。旧来の保守／革新の構図とは異次元の新しい社会運動として青年層の強い支持を集め、連邦議会に二十七名の代議士を送り、昨年の欧州議会選挙では八パーセントの得票率を得たこの運動も、その初期の熱狂的な成長の局面を終えて、持続する政治勢力として成熟する上で避けることのできない、危機の局面に入ったといえる。

社民党や保守党との連立の可否、「新左翼」に対する態度、性の自由化への態度、等々いくつかの具体的な論争点がふれられているが、その根底にある問題は、「緑の党」の原理としての、コンサーヴァティズムとラディカリズムの関係といえる。

コンサーヴァティズムとラディカリズムは、日本ではふつう「保守主義」と「急進主義」と訳されて、政治的な対立関係の基本にあるものと理解されてきた。いわゆる「右」と「左」とである。けれどもコンサーヴァティズムの原義は、貴重な価値を〈保存〉しようとするものであり、ラディカリズムの原義は物事を〈根本〉からとらえようとすることである。「緑の党」は、現代社会の危機を根本からとらえようとする結果、階級などの社会関係ばかりでなく、人間と自然との関係自体をも変革すること、自然を搾取する文明から自然を保存し共存する文明へと転換しようとするものだから、ラディカリズムとコンサーヴァティズムの考え方が、統合されている。

このことは基本的には強みだけれども、ラディカル（根本的）な感覚がまず基礎にある人々と、コンサーヴァティヴ（保存的）な感覚がまず基礎にある人々との間には当面感覚のズレがあるから、既存の保守党や革新党との関係や「新左翼」への態度、性の自由化の問題等をめぐって、緑の党は内部に困難な論争を抱えることになる。

このことは、緑の党をその政治的な表現の典型とする、現代の〈新しい社会運動〉一般の直面している、核心的な問題でもある。

『思想』十一月号は「新しい社会運動」を特集し、また『クライシス』の秋の臨時増刊は「エコロジー・フェミニズム・社会主義」を特集している。

『クライシス』の方は、今月行われた「社会主義理論フォーラム」のための基調報告集であり、基本的には、「社会主義」の側からエコロジー、フェミニズムをどう理解し、関係すべきかを模索したものであるが、思ったよりは多様な視点から問題が提起されている。

『思想』の特集は、高橋徹による概観を巻頭に、「大衆社会」モデル（佐藤健二）、「相対的剥奪」論（松本康）、「資源動員」論（長谷川公一）、カステルの都市社会運動論（町村敬志）、「オールタナティヴ」運動論（高田昭彦）など、現代の主要な社会運動理論について、それぞれの可能性と限界、統合の見通しを検討している。

高田によるアメリカの〈新しい社会運動〉の紹介、たとえば非暴力直接行動が直面した、運動のスタイルと実効性との間の矛盾の問題などは、「緑の党」の直面する困難とも通底するものとして興味深い。

高田の紹介するマリリン・ファーガソンの『アクエリアン・コンスピラシー』は、高田以外の紹介者たちによっても、「水瓶座の陰謀」とか「たくらみ」などと訳されているが、「陰謀」「たくらみ」は社会運動のスタイルとして、ファーガソンの記すものとは正反対のものだから、意味のおかしな邦訳になってしまう。コンスピラシーは「呼吸を共にする」という原義で、ここから「共謀」「陰謀」という、今日ふつうの語義も派生してくるのだけれども、ファーガソンは「呼吸が合う」（気が合う）という原義を軸に用いているので、「呼応」とでも訳すべきものと思う。

「アクエリアン」は高田の紹介するとおり、「透きとおった愛と光にあふれた水瓶座（アクエリアス）の世界」に生きる人々という意味だから、著書の主題は、「透明な人々の呼応」といったものである。（〈透明であろうとする人々〉と、いうべきだろうが。）それはエルギンの、散文的だがわかりやすい表現でいえば、「意識的に選んで簡素な生活を始めた個人たちの自発的な連合」に対応している。

このような「アクエリアン」は、エルギンによれば、一九八〇年のアメリカ成人人口の約六パーセント、およそ一千万人、といわれる。これは西独の「緑の党」の支持率とほぼ対応する数字である。

日本ではこの比率は、現在のところはるかに少ないといえるけれども、『80年代』編集部による『もうひとつの日本地図』（野草社）は、今年の九月という時点で、北海道から沖縄まで、呼応する日本のアクエリアンたちのグループ百数十の、地図とカタログを提供している。「夢市場」「木風舎」「獏原人村」「だんだんに」など、目次にならんだグループの名称じたいが、その志向する生のスタイルを表現している。

『思想』の特集は、学術的には読みごたえのあるものである。が、高橋が巻頭論文のおわりのところで約束している、「現実の新しい社会運動に対する寄与」は、十分になされているといえるだろうか。上にみてきた、西ドイツやアメリカや日本の社会運動が直面している困難をどうのりこえるか、という問題意識をもって読みとおしてみると、「然り」ということは、わたしにはいえないと思う。

特集の参加者たちは、自分の力以上の課題にあえて身をさらすことをとおして、現在の社会理論のアクチュアルな限界線を、あきらかにしたともいえる。

問題のくずされる時――ノンフィクション経験

一九八五年十一月二十九日

『朝日ジャーナル』十一月二十日臨時増刊号は「ノンフィクションへの招待」を特集し、第一回「ノンフィクション・朝日ジャーナル大賞」の優秀作五編を掲載している。『文藝春秋』十二月号も、「大宅壮一ノンフィクション賞」を発表し、今年の受賞作を抄録している。

『朝日ジャーナル』の掲載作は、鷹沢のり子「セシルたちの生き方」、山中康男「シルエトク地の果てるところ」、岡田真紀「絆」、大川均「ベトナム難民漂流記」、千倉真理「なにをかいわんや　女子大生！」である。

「セシルたちの生き方」。〝じゃぱゆきさん〟を生み出す故国フィリピンの下層社会の女たちの群像である。女性が売春問題を取材するといえばひとつの「型」が予想されるが、鷹沢の文は、そういうモラリズムの臭みのようなものがない。フィリピンの人たちの明るさにもよるのかもしれないが、筆者自身が、これまでの世代にはない乾いた目を獲得しているからでもあると思う。それがかえって、日本と東南アジア、それにアラブという地球大の三角関係の中で、たとえば雨期にも水びたしにならない家に住みたいといった生活者の欲望をテコに、人びとの日常がどのように解体され再編されてゆくかということをリアルに描き出している。(男たちは中東へ、女たちは日本へというのが、フィリピン民衆の出稼ぎのひとつの典型である。アラブと日本の石油文明との関係はまた周知のとおりだ)。

「シルエトク　地の果てるところ」。「知床《しれとこ》という地名はアイヌ語のシルエトクから来ており、地の果てる所を意味する。これは軽薄な詩人が喜びそうな〝辺境〟あるいはその〝落魄感〟を指している言葉ではない」。オホーツクのサケ定置網漁民たちの労働と生を、ゆっくりと迫力のある生態系のリズムと同致した豪気な筆致で記録している。

「絆」。わたしたちがふつう知っているアメリカは、白人のアメリカである。白人のアメリカと黒人のアメリカは「二つの国のようである」と、岡田は書いている。白人は物に囲まれて暮らし、黒人は人に囲まれて暮らす、ということばがあるという。人の絆に囲まれた、南部の黒人の家族の記録だ。「インターディペンデンス(相互依存)とインディペンデンス(独立性)の微妙なバランス」というようなことも、評論家などが抽象的にこのことをいえばたいくつだが、かれらの生活の細部の具体性の中で、じつに説得力をもつ。親・兄弟の間でも「これ以上は頼らない、助けないという一線」をどこかにひくことで、相手の負担をふやすまいという心づかいを示すと共に、自分の人生の独立性を確保している。

「ベトナム難民漂流記」。「ボート・ピープル」自身によって語られた、現代史の貴重な証言である。現在のベトナム社会を支持して在住する人びとにとっては、世界はまたちがった立ち現れ方をしているのかもしれないけれども。

大川がはじめに書いているようにこの文章は、実在のベトナム難民たちと大川との「合作」である。大川はむしろ、インタビュアー、リライターを兼ねた編集者に近い立場をとっている。このことはこの文章の、ドキュメントとしての価値を高めていると思う。と同時に、両者のこの「合作」関係、引用関係があいまいにされていること、つまり書き手の重層性が「消されて」いるということが、ドキュメントとして不徹底なものともしている。内容として、現代史の大きな問題を提起していると同時に、方法としても、ノンフィクションとドキュメントとの間という、大きな問題を提起している。

「なにをかいわんや　女子大生！」。文化放送の深夜「ミスDJリクエストパレード」の、パーソナリティの時の記録。大人好みの女子大生を「やっている」女子大生たちとは微妙だが決然とちがう仕方で、まったく自然に女子大生しているところが、文章もいきいきしたものにしている。「きゃわいい！　ア・ゼ・ン……。なぁにぃ？」という文体で、きちんと同世代批判もしている。

「『がんばらなくていいよ』の意味がわかったから、がんばってしまう。生きることにがんばってしまって、その自分が無理せずに、自然な状態でマイクの前に座るのが理想。」など。頭のいい人だ。

『文藝春秋』掲載の大宅壮一賞は吉永みち子『気がつけば騎手の女房』（草思社）である。同誌所載の抄録しか読んでいないが、立花隆・山本七平両選考委員がここは一致して、「巻をおくあたわず」で一気に読ませると称揚しているとおりの筆力だ。笑わせ、泣かせる、文章の手綱さばきは、講談、浪曲、新派から松竹新喜劇をとおして流れる、日本の大衆文芸の正統をゆく感性の、しかも現代版である。タイトルのかくれ五七調から、「気がつけば」「女房」といった、新しくない表現の新しさともいうべきものが、身についた文体として駆使される。

二つの賞を通していえることは、石川真澄もいうように、女性の活躍と国際性である。両大賞の受賞者をはじめ、ジャーナル優秀作六人中四人も女性だ。またこの優秀作六編中四編が外国ものであり、大宅賞候補作にも、古森義久『遙かなニッポン』（毎日新聞社）など国際ものがみられる。

高名な作家と高名な経済学者が、あるとき原稿書きのカンヅメでホテルに泊まり合わせた。資料の山に埋もれた経済学者が、「小説家はいいなあ。資料がなくても書けるんだから」といったら作家が、「学者はいいなあ。資料があれば書けるんだから」といったという。

もちろんどちらも誤解なのだが、『朝日ジャーナル』巻頭の座談会で沢地久枝は、ノンフィクションはカネと足があれば書ける、といった誤解に抗して、こう語っている。「海へ行って、水を何杯汲んでもいいよと言われても、自分の能力が耳かきの大きさしかなかったら、耳かき一杯分しか汲めない」。

岡田真紀は、黒人家族の調査に深入りする中で、自分の発した質問がそれ自体まったく「的外れ」であったという経験を報告している。この解体感のようなものは、ノンフィクションという経験の核心にふれているように思う。自分の用意した問題が、リアリティにふれてつきくずされるところから、ノンフィクションの醍醐味である世界は開かれてゆくのだと思う。

それはわたしたちが、自分にとって決定的な経験をした時の構造とおなじかたちのものだ。

石の降りそそぐ時――大衆社会の共同幻想

一九八五年十二月二十六日

今月の一番特集らしい特集は『思想の科学』の「うわさの十大事件」であった。「ロス疑惑」「フォーカス現象」「グリコ・森永」「日航機報道」「豊田商事・投資ジャーナル」等、うわさと虚構化作用をめぐる十の事件をとりあげている。〈虚構化〉の時代としての八〇年代前半の、最後の月の主題として偶然でないともいえる。「ノンフィクション」がなぜ読まれるかということも、生活自体の根こそぎの虚構化の中で、大衆が「リアリティ」に飢えはじめている、あるいはリアリティのあるものが、新鮮なものとして感受されはじめているとみることもできる。

特集冒頭の浅野健一論文は、「ロス疑惑」報道の過熱について、「疑惑人」某がクロであったとしても、その家族・親族や少年時代の私事まで追い回して商品化する「報道」が不当なリンチであることを指摘している。現に親族の女優まで猟奇の目にさらされている。浅野はスウェーデン等にならって、犯罪報道の匿名化を提唱している（『犯罪報道の犯罪』学陽書房）。

ある犯罪が憎むべきものだという事実と、そこに向けられるメディアと大衆の過剰な猟奇の視線の質とは、別個の二つの問題である。

同特集の柳田邦夫論文が「国家秘密法」（スパイ防止法）案に関して言っている表現をかりれば、このモラリズムの形をとった社会的処刑の黒い情念は、〈ギロチン〉構造をもっている。面白がっている見物人やその仕掛け人自身さえいつ犠牲者の身となるかわからないのだ。

「軟派」メディアのこの過剰反応は、「硬派」メディアの「反ソ扇動」と似た構造をもっている。ソ連の現在の体制が抑圧的なものであり、徹底的に批判さるべきものであるという事実と、「ソ連の脅威」をあおりたてることで、言論統制から生活統制の方向に日本社会を軍事化してゆくことの動因とすることとは、明確に区別しなければならない。

事実このように増幅されるソ連「脅威」感が、「国家秘密法」制定策動の口実とされていたことを、奥平康弘は証言している（『世界』一月号）。反ソ感情の扇動が、「自由社会」をソ連型社会に近くする、というパラドクスをみることができる。（法案は保守内部にさえ危惧の声が続出して二十日廃案になったけれども、将来も類似の動きはあるだろう）。

七月には富士茂子の〈無実の罪〉が三十二年目（！）に確定したが、斎藤茂男（『月刊カドカワ』九月号）と瀬戸内寂聴（『婦人公論』同月号）が伝えるその生涯にわたった冤罪の記録は、凄惨というほかはない。

〈自立する女〉にたいする偏見と予断から、茂子を犯人とする物語——「夫殺し」の猟奇物語！——を架構してしまった検事・判事は、現場で真犯人を目撃していた九歳の娘の再度の証言をも黙殺してきた。娘は以後二十余年の間裁判自体に背を向けつづけ、弁護団に対してさえ心を閉じて協力を一切拒んだ。五度目の再審請求の法廷に一度だけ姿をみせた三十五歳の彼女は、幼時の目撃をくりかえしたあと、「裁判というものは、裁判官、検事、弁護士が寄り集まって芝居をしている、ゲームをしているように思う」「私は裁判を信じていません。期待もしておりません」と断言している。九歳から三十五歳までという年月をおおいつくした虚構によって、人生のリアリティを解体されつくした女性の、虚無だけがあった。

わたしたちは、彼女をすでに処刑してしまったのである。それはわたしたちが、疑われている人間のそばに立つという勇気をもたなかったからである。

その当時のメディアと大衆は茂子が犯人であることを疑わなかった。後になってからわたしたちは、いくらでも賢明であることができる。その時疑われた人たちもその家族さえ、人生をとりもどすことはできない。

芹沢俊介『「イエスの方舟」論』（春秋社）は、八〇年代初頭のマス・メディアの「猟奇の視線」の標的となったこの集団の、外部の視線と内部の視線の双方について、触発的な考察をおこなっている。

外部の視線とは、この弱者たちの吹きだまりのような集団を妖怪めいた邪淫狂信の集団として妄想した、現代大衆社会の共同幻想である。娘たちを「奪われた」という家族たちとマス・メディアとが相互に増幅し合って形成した、奇妙に性的な妄想の存立の機制を芹沢は追跡している。それはR・D・レインらの名著『狂気と家族』（みすず書房）を思い出させる。レインらの分析は、〈権力の根としての大衆〉の、秩序維持的な共同幻想と対幻想が、その日常の生活の中で、みずからの逆立した影としての「狂気」や「悪意」や「魔性」を、どのように自己の外部に投影し、そのことによって卑劣に自己を正当化するかという、ほとんど無意識の機制に光をあてている。それは「イエスの方舟」報道から「国家機密」法案までをも通底する暗部である。

芹沢はまたこの集団の内部の空間を、「連合赤軍」や「統一原理」のそれと対比する。連合赤軍の「総括」の発端が、遠山美枝子が髪を長くし指輪をしているといった女性性、エロス性への指弾であったように、個別の欲望や趣味や関係やエロスを監視し、禁圧する視線が連合赤軍の内部の空間を規定していた。それは「イエスの方舟」が、ケーキのカンに現金を入れ、「会員二人が確認すれば」自由に使えるシステムにして、個々人が映画にゆくことも流行のファッションで装うことも、旅行に出ることも自由にしていたように、個別の欲望や趣味や関係やエロスを肯定し、包容していたことと対照的である。

他者の個別な欲望や趣味や関係やエロスに向けられたスキャンダリズムの視線――倫理・正義の形をとったいやしさの視線――が、「スパイ防止法」案の方向に動員される時、それはわたしたちの社会の空間を、「連合赤軍」型の空間に近いものにするだろう。連合赤軍の幹部が「敵権力」の脅威を口実に、メンバーの私的な自由を監視し、次々「処刑」していったように、「国家機密」法案の方向は「ソ連の脅威」を口実に、国民の私的な自由を監視し処刑するというわけだ。

現代世界の最も魅惑的な思想家のひとりバグワン・シュリ・ラジニーシ（『存在の詩』めるくまーる社、他）は、幾十カ条かの「罪状」を負って先月アメリカを追放された。バグワンのグループもまた、フリーセックスの邪淫狂信の集団のように、アメリカでも日本でも報道されたことがある。視線のいやしさが対象に投影されて妄想を増殖させる。〈花のそそがれる時よりも／石のそそがれる時にこそ〉わたしたちは自由の方向に向かって歩いているのだといういみのことを、バグワンは語ったことがある。

現代社会で自由であろうとする人間は、スキャンダルを恐れぬということに肚を定めておかなくてはならない。

そしてわたしたちは、石を注がれている人間のそばに立つということをとおしてだけ、自由を拡大してゆくことができる。

〈深い明るさ〉の方へ――現代日本の言説の構図

一九八五年十二月二十七日

今年の第一回の時評で、現在ある〈論壇〉の中心的な、しかも良心的な仕事のひとつの代表として、大江健三郎が『世界』に書いた文章をとりあげてそれへの異和感をのべた。それは今年のメディアでいえば、『世界』がきわめて自覚的に体現してきたような〈戦後左翼〉への、異和の角度を明確にしておきたかったからである。けれどもわたしの異和の角度は、現在論壇を物量的に支配している「右」からの批判の角度とは異なっていたし、また「ポストモダン」からの嘲笑の角度とも異なっていた。だから批評は両面作戦、あるいは三面作戦のごときものになる他なかった。

ほんとうは世界の中の肯定したいものだけを語りたいのだけれども、論壇の時評という仕事は、そういうものが毎月みつからないという困った場所に人を立たせる。何かを肯定したいけれども「左翼」ではない、「右翼」ではない。「ポストモダン」でも「モダン」でも「プレモダン」でもないというふうに。

今年の時評をおわるにあたって、もういちど大江の良心的に暗い文章（「再び状況へ」の結章）への共感と異和感とを手がかりに、八〇年代前半の論壇の構図を確認すると同時に、わたし自身の批評の視角もできるかぎり明確にしておこうと思う。

戦後的な〈左翼〉の言説といわれているもの、これに対する〈右翼〉の批判あるいは嫌み、「ポストモダン」の世代の嘲笑あるいは無関心という三者の位置関係を視覚化するために、図1を設定してみよう。

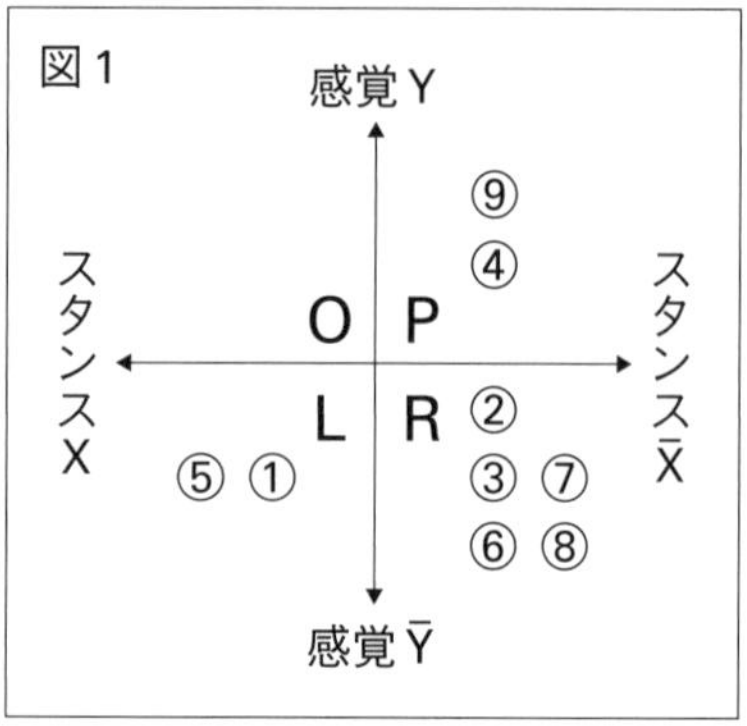

Lは「左翼」あるいは「革新」派、Rは「右翼」あるいは「保守」派、Pは「ポストモダン」の言説とする。①…⑨のところには、八〇年代前半の論壇雑誌――『世界』『中央公論』『文藝春秋』『現代思想』『クライシス』『VOICE』『諸君』『正論』『GS』等――を代入してみることもできるが、そういうゲームをここでやりたいのではない。図柄をつかんでおきた

いだけだ。（そのうえ図柄も、諸雑誌の現在のメイン・トーンによるだけであり、個々の文章や筆者は縦横にはみだしているし、将来はまた変わりうる）。

図1のタテ軸、つまり思想の文体あるいは感覚ということでいうと、わたしが比較的共振するのは、広義での「ポストモダン」の世代のそれである。三者のうちでは相対的に、いちばん自由に世界を感覚し、自分を表現する文体に向かう通路がそこに開かれているように思う。

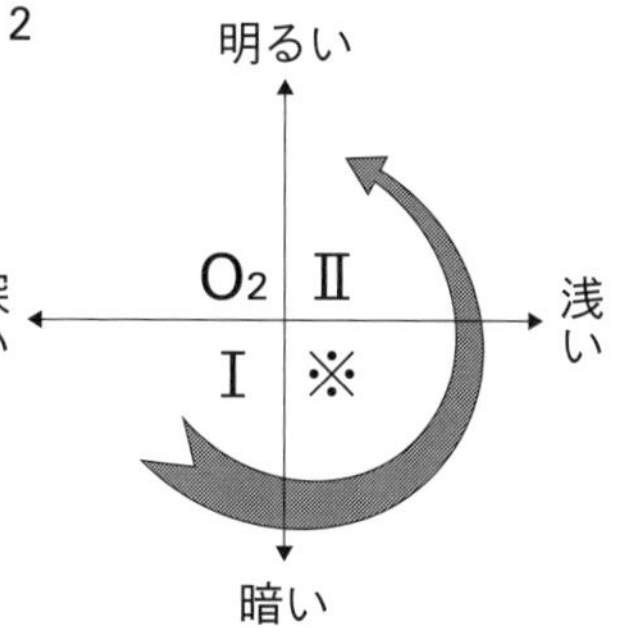

図2

図1のヨコ軸、つまり大江らの仕事に対する共感の線を表現することは、やさしいようでもっとむつかしい。たとえばその「進歩性」とか「左翼性」とか「反体制」であることとかに共感するわけではない。そういうことは、もちろんどうでもいいことである。言葉がどうしても紋切り型に回収されてゆくことに自分で反発しつつ暫定的に言ってしまえば、現存する抑圧や差別に対する批判的なスタンスともいうべきものである。

わたしの好きな感覚を獲得しつつある思想の世代は、同時にこのような、時代の底を通底する課題の骨格のごときものを回避して言説の場を浮遊させつつあるように、現在はみえる。だから「論壇」の地平の中では、わたし自身の立つ場所は、存在していないものに向かってゆく他はないので、Oと記しておこうと思う。

いきなり話は変わるけれども、「現代文学」というものを、個々の作品や作家からあるていど抽象された集合的なイメージとしてとらえるという水準を設定してみると、それはある種のゼリー菓子のように、対極的な色調と明度をもった二つの〈層〉から成る像をむすぶ。一方は、〈深い／重い／暗い〉というイメージをもつ、「現代文学」の古典的な作品群の層である。一方は〈明るい／軽い／浅い〉というイメージをもつ「現代文学」の新しい作品群の層である。両者を〈現代文学〉の第一層、第二層と名づけておこう。

どちらもわたしを魅きつけるのだが、それらをとおして、わたし自身が究極に志向している非在のものをもし描くなら、それはいわば〈深い／明るさ〉をもった世界ではないかと思う。これらは図2のように仮に描いてみることができる。Ⅰ、Ⅱ、はそれぞれ、〈現代文学〉の第一層、第二層であり、O_2は非在のものである。

現代日本では、Ⅰは主として「戦後派」文学の巨匠たちによって担われ、Ⅱは主として、七〇年代後半以降の新しい文体の旗手たちによって担われてきた。※印に当たるものがあるか。

と考えてみると、戦後派文学とポストモダン派の中間の時代を担った、「第三の新人」の世代の文学がこれに近いだろう。それは戦後の第一世代の、〈重さ〉や〈深さ〉とは異なった〈軽み〉の世代として登場し、しかし同時に、現在の若い世代の旗手たちのような、透明感のある明るさとも異質のくらがりをもつものである。

図1と**図2**とは、原理上、まったく別個の平面である。けれども戦後の日本での担い手の対応を考えてみると、紙数がないから例証を省略するしかないが、LとI、Rと※、PとII、との間には、それぞれ感覚の相対的な親近関係をみることができる。

図式はいつでもジョークにすぎない。ジョークが真理を語るのとおなじ仕方で、図式は真理の切断面を語る。

現実の言説の布置は、もちろん平面的でなく、立体的であり、多次元的であり、空間として表象することのできないものである。八〇年代前半の「論壇」の主要な構図を、新聞というメディアの強いる平面性という制約の上に、投影してみた投影図だけがここにある。それはひとつの〈非在のもの〉を指し示すためだけにあるようなものだ。

けれどもこの〈非在のもの〉は、「論壇」の言説の内に存在しないだけであって、生きられる世界のうちにはすでに存在しつねに存在しているものである。五月の〈草たちの静かな祭り〉や、七月の〈夢よりも深い覚醒へ〉で、そのように存在するものの波頭のいくつかに、手をふれることができたと思う。

世界が手放される時——戦後理念の地崩れの後

一九八六年一月三十日

昨年は〈戦後四十年〉ということが、論壇の主要な主題のひとつとなった。それは中曽根政権の「戦後の総決算」という標語と拮抗しあるいは対応するものであった。「戦後」ということが論壇の中心的な主題となる年は、もう来ないだろう。日本人の歴史意識は、一九八六年以降は、「戦後」という枠組みではなく二〇世紀の世紀末という枠組みを軸に編成されるだろう。二一世紀を予測し、選択し、創出するという方向でなされるにせよ、人類二千年間の歴史の総体をここで総括するという方向でなされるにせよ。

この年冒頭に『文藝』春季号はあえて、「戦後思想再見」という力のこもった特集を組んだ。この特集の特色は、戦前派による「総決算」とは世代的に逆の側から、松本健一、鈴木貞美、竹田青嗣、笠井潔、加藤典洋、絓《すが》秀実、粉川哲夫という、主として戦後生まれの、力のある批評家たちを一堂に会して戦後の「再見」がなされていることである。

鈴木貞美がいうようにこの世代もまた昨年は、松本健一『戦後の精神』、加藤典洋『「アメリカ」の影』をはじめ、桐山襲や立松和平の小説など、「戦後」を問題とした作品を書きはじめている。このことは日本だけでなく、パトリック・モディアノ等フランスでもみられるという。

特集冒頭には松本、鈴木、竹田、笠井による座談会「戦後思想と天皇制」がおかれている。

鈴木貞美が石川淳を、松本健一が太宰治を、笠井潔が坂口安吾をそれぞれ着目しているように、ふつう言われる「戦後思想」の外部のところに、戦後の思想の最も触発力のある核心をみるという感覚がここでは共有されている。そしてこのような戦後の思想の実存の核ともいうべきものが、〈戦後思想〉家、〈戦後文学〉者の初期を代表する野間宏、埴谷雄高、梅崎春生、椎名麟三などをも通底していたという視点から、あらためて「戦後思想」の意味に光があてられている。

粉川哲夫「『戦後』のミクロ・ポリティクス」(同特集)は、この座談会の出席者たちとは異質の視角から、「正統的」な戦後思想家、丸山眞男と藤田省三の内にある、実存の核というべきものと、「戦後」批判の精神とその戦略とを照射している。

粉川の指摘するものを正当にふまえた上で、坂口・太宰・石川の系譜、野間・埴谷・梅崎・

椎名という系譜、丸山・藤田という系譜のそれぞれを分岐したもの――〈実存〉の質と戦後社会への批判の角度、「戦後」という記号への戦略と非戦略とが把握されねばならないだろう。この地図の中で、竹内好、武田泰淳、三島由紀夫、大江健三郎といった戦後の思想家たちも、それぞれ一層明確な相貌をみせて立つことになるだろう。（矢代静一「含羞の人」〔同誌〕は、太宰と三島の異質と反発を活写している）。

座談会に戻る。竹田青嗣は前記三人の発言を受けて、無頼派や三島や全共闘などの「反・戦後」の思想を含めて、戦後思想の真の核心というべきものを、まさに「戦後」と格闘した思想としてとらえかえす。「戦後社会」と批判的に対峙してきたものこそ〈戦後思想〉であると。その上でこの核心は、狭義の「戦後思想家」の本質的な部分をも通底していたことを見ている。

竹田はこのような〈戦後思想〉が、そのさまざまな「水増し」や自己欺瞞やを削ぎ落としそぎおとしていった最後に残るところは、「ぜんぜん無名の民衆として、自分が世界の理想に対して、自分の生き方をどれだけ投げ出すことができるか」という生き方＝社会批判のパトスの形であるという。

ポール・ニザンへの共感をこめて竹田はこのことを語る。けれども竹田がいいたいことは、そのあとのことだ。

このような「戦後理念の最後の核」が、竹田の内部で、ある時期ポキッと折れたのだという。〈無名の民衆として、自分が世界の理想に対して、だまって自分の生き方を投げ出す〉という、戦後理念のいちばん美しい到達点は、自分の生きがたさというものが、必ずいろんな他の人たちの、おそらく世界の民衆の、生きがたさと結びついている、という確信に支えられている。けれどこういう感触じたいが、ある時地崩れにさらされたのだと、竹田は言っているように思う。

「ところが現在の社会では、今言ったような世界に対する理想そのものが、ひとびとの世界像のなかで、生じないんじゃないだろうかということがある。じゃ、世界に対する理想が生じないような人間にとって、僕等が持ったような、そういう生きかたの確信というのは、どのくらい言葉として届くか、つまり普遍性があるのか。……多くの人間を抑圧している現実の根本的な原因としての社会制度をどのように底からひっくり返すかという問題はそれをいくら突き詰めてももう届かないのじゃないだろうか、という感触があるわけです。」

この〈届かない〉という感触は、昨年の「埴谷―吉本論争」の、相互の声の〈届かなさ〉である。誠実な戦後思想家としての大江健三郎の、あとに来る世代たちへの〈手探り〉である。

そして柄谷行人が吉本の「頑固」にたいして、「ただ哀しげにみえる」といい、柄谷自身もまたいつか哀しいものになってしまうかもしれないという、その〈哀しさ〉のようなものだ。

大江が徒労感に敗れてはならないのだとなんどもじぶんを立て直し、埴谷が自嘲を残して沈黙し、吉本がいらだちながら、そのいらだちももうむなしいのだよとじぶんで論争の水位を見限り、柄谷が「ただ哀しい」と言っている、そのおなじ巨大なものに、ここで竹田もまたふれている。

ひとつのみえない地崩れの速度の中で、わたしたちは、〈世界〉と自分とを結びつけていたひとすじの感触のようなものを、手放したり手放しかけたりしている。

この地崩れはわたしたちを、棲みなれていた建築物の内部の空間から解き放ち、ほんとうの明るさの方へつれてゆくのか、それともそれともうひとつの閉ざされた空間の中に囲い込むのか。それともこのような問いそれじたいを投げ捨てて、リアルなものなどありはしないのだ、もぐらには地底の闇だけがもぐらの明るさというものなのだと思い定めるべきなのか。

このようにこの地崩れは、もういちど思想の敏感な触手の先端を、いくつにも分岐してゆくだろう。

週末のような終末——軽やかな幸福と不幸

一九八六年一月三十一日

個人の死や個人の老いということとおなじに、類の死や類の老いということをかんがえることができるだろうか。それらは比喩にしかすぎないだろうか。『世界』の臨時増刊「世界を読むキーワード」では、未来工学研究所の平山勝英が二一世紀を予測する数値を提示している。

発展途上国にある森林資源は二〇世紀最後の二十二年間だけで四〇パーセントを費消する（毎分二十～三十ヘクタールの森林が消滅しつつある）。環境汚染や森林の減少によってこの期間に数十万種の動植物種が絶滅する恐れがある（毎日百種の種を人類が絶滅してゆく！）。人類自身は現在毎分三億円の軍事費を支出する一方、毎分三十人の子供たちを餓死させている。米ソの核戦争等で保有核兵器の十分の一が軍事施設や主要都市に投下されれば、北半球の気温は一時二十度〜四十度下がり、生態系は解体し、日本は食糧輸入の途絶だけでも人口の半分が餓死する恐れがある（「核の冬」）。等。

昨年の『へるめす』第三号では、杉浦日向子が「二十一世紀の風景」を書いた。中森明夫らの『ＰＲＥＳＳ』誌創刊号の編集後記が冒頭に引用されている。「六十年代に生まれたぼくたちは、長いあいだとても退屈していました。退屈を楽しむことさえ覚えました。……残りの空気が少ないいんだな、と感じました。なんでもあるということは、なにもないということと同じです」「今度核兵器が使用されることがあれば、人類は滅亡してしまうであろう。……生まれた時から、そうした〝異常〟を〝日常〟として生き続けてきた。」

「二十一世紀は来ますかね」とお天気の話をするように問い合う世代。「こんどの終末は明るいゾ」と杉浦は実感している。今度の週末を語る人のように。

『中央公論』二月号は「『老い』を検証する」を特集し、読者層の若い『現代思想』の一月号も「老いのトポグラフィー」をはじめて特集している（それぞれに真面目な好特集だ）。

「老い」はたしかに、「戦後思想」が欠落させてきた本質的な主題のひとつだ。マルクス主義者もリベラリストも、「無頼派」も「三島」もそして「全共闘」も、それぞれの仕方で思想の外部に放逐してきた問いである。「戦後思想」の視界はここでも確実に超えられているということもできる。――けれどもその超えられ方は、人間が老いるということによって青春を超える仕方と、どこか似ている。

昨年の日本文学の最大の収穫とされているのは、『世界の終りとハードボイルド・ワンダーランド』と題された小説である。初刷の日付は一九八五年六月一五日とある。二十五年を、西洋では一つの「世代」とするという。今年「成人」した青年たちは、「安保世代」の子供たちである。村上春樹は、この世代に圧倒的な人気をもつ作家である。村上はこの小説で、世界が限定されたものであるという断念の上にひとつの肯定をさぐりあてている。

〈私は死ぬのだ――と私は便宜的に考えることにした。……そう考えると私の気分はいくぶん楽になった。〉

「時限爆弾」を意識に内装されている「ハードボイルド・ワンダーランド」の「私」がこのようにいうとき、たとえば大江健三郎の〈核時代の想像力〉と、村上たちの感性がどのようにすれちがうかが語られている。

小阪修平はそれを〈不幸のなかの愉楽〉と名付け、鈴村和成は〈虚無からのエネルギー〉を語り、川本三郎は「『断念』の果てにつかんだ強い方法意識」とよんでいる。（小阪「二重の物語のなかの二重の『私』」『文藝』八五年九月号。鈴村『未だ／既に』洋泉社。川本『都市の感受性』

筑摩書房）。

〈僕の目は今と同じようにずっと長いあいだ薄闇に慣れていて光を見ることができないんだ〉。

――「新品の棺桶のように清潔」なエレベーターの中以来、それは明るさという名の闇の物語のようだ。「世界の終り」の「僕」は両眼を門番のナイフで切られ、日の光を見ることが苦痛だ。

『納屋を焼く』という村上のべつの小説の一人称は、こんなふうにいう。〈だんだん僕のまわりから現実感が吸いとられていくような気がしてくるのだ。……昔アイヒマンがイスラエルの法廷で裁判にかけられた時、密室にとじこめて少しずつ空気を抜いていく刑がふさわしいと言われたことがある。……僕はふとそのことを思い出した。〉

空気がうすい、という感覚。

「ハードボイルド・ワンダーランド」の「私」の意識の死を前にしての、〈限定された人生には、限定された祝福が与えられるのだ〉という述懐は、わたしたちの心にしみとおる。

けれどそれは、何という老人風の知恵だろう。「世界の終り」を、いわば二重の物語のように、はじめから伴走させている青年たちの世代の生の物語。

村上春樹は「世界の終り」を自同律の快ともいうべき都市として描く。浅川マキの『赤い橋』の向こう側の世界のように、「渡った人は帰らない」というこの街には、この街の愉楽があり完全さがあり「明るさ」がある。やさしい地獄——もちろん天国と言い換えてもいい。光あふれる闇の都市。愉楽にみちた不幸の都。自由の遍在する幽閉の街。——週末のような終末。「僕」自身の「影」は、この自同律に不快を感じて〈外部〉へとあこがれ出ようとする鳥である。第一この都市の愉楽は、「街が押しつけた自我の重み」を背負って死んでゆく「獣」たちの不幸の上に存立している。「そんな完全さにどんな意味がある？　弱い無力なものに何もかも押しつけて保たれるような完全さにさ？」
「影」はいっしょにこの街を脱出しようと「僕」にいう。「僕」は拒否する。「影」はひとりで「たまり」に身を投げて消滅していく。沈黙する埴谷雄高のように。影を失った「僕」は世界の終わりに生きのびる。戦中派がじぶんの影を切り捨てる時のようにいらだちながらではなく、戦無派のようにやさしく、そしてつめたく。「君には悪いけれど」と言いながら。（別れの洗練を身につけた世代。）

村上春樹が〈普通の人〉としてじぶんの生活のスタイルを規定する時、それは竹田青嗣のいう〈無名の民衆〉とおなじだろうか？

〈無名の民衆〉という自己の規定は、〈世界〉とか〈歴史〉といった意味の奥行き、積分する理念のようなものに向けられる垂直の視線によって、点火されている。〈普通の人〉には、このような点火装置も垂直なものの残響もない。意味を消火する装置だけがある。意味を抜く――すると幸福は理念から救抜され不幸は苦悩から救抜されて、扁平で身軽になった幸福と不幸だけがある。鈴村和成のことばをかりれば〈世界とともにあることの水平な地平〉。この〈幸福な水平性〉である。

それは〈無名の民衆〉の、不幸な垂直性を問わない。のりこえるのではない。問わないのである。

それは希薄な空気のように、世界の終わりと他者の距離という二つの断念を呼吸して生きる世代の、幸福と不幸を救済する装置である。

抽象化された生命——食から農業問題を見る

一九八六年二月二十七日

『世界』三月号は「地域は変るか　農業・テクノポリス・文化」を特集している。

冒頭のシンポジウム「農業の隘路をどう拓くか」（坂元正義・安達生恒・都留信也）の中で安達は、一見地味だが、相当思い切った提言をしている。農家に生まれたから仕方なく農業をつぐという連中は、どんどん都会に出たらいい。「ほんとうに農業に思い入れがあって、自分の生き方、暮らし方、子供の育て方、そういう経済以外の人間的な要素を加味して農業をやっている人が今の世の中でいちばん確かな農民じゃないか」。「農業を選びとった若い衆」を含めて、こういう農業者を中心にすえて農政も決めなければいけない。経営規模だけで「中核農家」を規定するのは、的はずれだと。

「地域を活性化する」という論文の中で安部一成も、「その土地の出身者しか定住できない地域のあり方」の方も変革されるべきだと、〈開かれた地域性〉ともいうべき方向を模索している。

「地域からの報告」という八つの短いルポはそれぞれ興味深いが、とくに高橋良蔵の「転作順守は夜逃げへの道」は、農業に意欲をもった農民たちを、これまでの農政がどのように挫いてきたかを報告している。国のモデル農村として、全国から選びぬかれた五百八十九戸をそろえて出発した八郎潟大潟村は、それから二十年の間に、首つり自殺三、ダンプ自殺二、焼身自殺、鉄砲自殺と悲惨きわまる自殺者たちを、営農難、負債苦から続出している。いずれも四十歳代の働き盛りである。千数百万円の「危険負債」をかかえる農家が現在は三割にのぼり、それは転作減反といったそのつどの農政に忠実な人ほど多いという。

長谷川熙「違う風も吹き始めている」は、八〇年代に入ってすでに千人をこえている農薬死と、その氷山の下の部分の膨大な中毒農民の問題をとりあげながら、都市の「豊かな」食生活がこうした悲惨に支えられていることを指摘している。それはとうぜん食品の中に含まれる毒として、こめられた呪いのように都市人の身体をも浸している。

農文協（農山漁村文化協会）の『管理される野菜』『短命化が始まった』（共に農文協刊）は、この「食」の視点から現代農業の問題を展開している。

都会人にとっての農の問題はさしあたりは「食」の問題としてある。けれどもそれが食の問題としてだけあるかぎり、つまり「健康食品」を自分たちがたべられればよいというだけのものであるかぎり限界があるということをもまた、『管理される野菜』は指摘する。都市の主婦層による食品公害問題、食品の安全性を求める運動が、まったく正当なものであることはいうまでもない。けれどたとえば、「残留農薬」の規制にとどまる要求は、農水省を動かして有機塩素系農薬の使用を禁止させたのはよいが、残留性の少ない、散布回数の多い農薬を奨励せしめる結果となり、農民の事態を一層悪化したという。

都会人にとって食の問題は、「健康食」だけの問題として片付けられるべきものでなく、都市人間の〈生活者としての自己回復〉の糸口として——自分自身の生を支える人間関係、自然関係が〈見えないもの〉として手放されてあることに対して、それを〈見えるもの〉として取り戻すことの一環としてあることを、同書はわたしたちに考えさせる。「薬毒づけ食品」の問題も、この〈関係の抽象性〉の一端としての結果に他ならないだろう。

鶴見良行の『バナナと日本人』（岩波新書）は、日本のバナナの九割を生産するフィリピン・ミンダナオ島の、これもまた農薬まみれの農園の人びととの関係をみることをとおして、これまでにみてきたことが都市／農村の間だけでなく、日本とアジアの間にもそっくり存在することを具体的に示している。鶴見もまた、この本の中で、問題は輸入食品の薬毒性うんぬんだけのことでなく、「作ってくれた人びとの労働が見えなくなった消費者のエゴイズム」をこえることだと指摘している。

西川潤、芝生瑞和のフィリピンからの報告（『世界』）は、鶴見たちの調査した現実が現在も変わらないことを伝えるとともに、この構造が、大統領選を発端とする今回の政治危機の背景にもあることを示す。

ところで前記、『世界』巻頭のシンポジウムで坂元正義は、自動制御化ハウス栽培や新品種開発などのバイオテクノロジー（生命操作の技術）をとおして、農業市場の自由化と農産物の値下げ、コメの完全自給の確保が三つとも解決しうるものとしている。

『中央公論』三月号の「豚道五十余年　花開くミートピア」では、サイボク社長笹崎龍雄が自社の特徴を一言で言って、「バイオテクノロジーの原点から胃袋までの直流パイプ」と表現している。徹底した経済効率の原理で飼育され、「合理的」配合飼料を胃袋に流しこまれるブロイラーたちを思い起こすが、ここで胃袋とは、わたしたちの胃袋である。

笹崎らの品種改良は現在日本に、「経済能力としては世界に冠たる豚」を作ってきたという。エコノミック・アニマルである。

『現代農業』（農文協）二月号の「バイオテクノロジー」は坂元・笹崎両氏とは逆に、「バイテク」への過大な期待を批判している。バイテク野菜の典型としての水耕トマト等を例に、それらが一面では「自然」の制約から逃れ、「のびのび」と効率的に育つ半面、合理化され管理化され、抽象化された条件の中で育てられた生命たち、としてのバイテク的な育種は、生命力の土台である二つの共生関係――微生物など周囲の自然との共生能力と、ムレとの共生能力とを獲得できないことをとおして、大地から切り離され、生命力の希薄なものとされている、と。

『中央公論』の高杉晋吾「いじめを生む教育の軌跡」は、教育関係の多くの現場取材から、現代の子どもの状況の根にあるものを、現代農業の直面している「土の死」の比喩で表現している。〈管理される子供たち〉の、合理化され抽象化された条件の中での人間形成が、「子犬や猫をマンション十二階から投げ落とす」といったある種の無感覚、基礎的な共感能力のかわき（渇き／乾き）を生み出していると。

バイオテクノロジーによる「新植物」についての記述は、「新人類」とかいわれているものの暗喩であるようにもきこえる。けれども暗喩ではないもののように、同じひとつの広がりつくしてゆく運動がいたるところに生み出してゆく同型性のようにもきこえる。

超越を超越すること——宇宙から折り返す視線

一九八六年二月二十八日

『へるめす』別巻のシンポジウム「宇宙感覚のなかの超越」（伊藤俊治・植島啓司・川本三郎・佐藤良明・細川周平）、ことに冒頭の伊藤による問題提起は、スリリングな素材を散乱している。

伊藤は一九二一年、建築家ライトがロサンゼルスの海の見える丘、というより断崖の上に作った個人住宅から話をはじめる。新大陸アメリカの果ての果て、「西洋の夢が最後にたどりついたひとつの自閉空間」である。

「たちあおいの家」とよばれるこの住宅は城壁のように、あるいはむしろ「避難所《シェルター》」のように他者をよせつけず閉ざされていて、光はほとんど天空からとり入れている。床を走る水路とか反射池の水に、天窓からの星とか月の光が映って、一人でコズミック（宇宙的）なヴィジョンの中に立ちつくすみたいな装置になっている。「先にはもう宇宙しかないガケップチ」をはっきり意識したアメリカの最初の営為だと、伊藤はみている。

半世紀後の今日人間は宇宙技術の開発によって、総体として「宇宙生物的な存在」に変わりつつある。地球そのものが宇宙船として意識されるばかりではなく、日常生活の空間自体が、高速道路を走る自動車、高層ビルの内部など宇宙カプセル的な空間に変質しつつある。

現在の若い世代のアイドル動物はモグラとイルカだと、音楽学者の細川周平たちが言っている。モグラは地中にネットワークがあって、「自閉的だが外に開かれた」生活をしているのだと。〈交信する宇宙カプセル〉のイメージが重ねられている。

イルカの話は伊藤がしていて、ベイトソンやジョン・リリーやライアル・ワトソンなど、さまざまな現代思想家がイルカやクジラの言語の問題に固執することにこだわっている。イルカのコミュニケーションは水中の音、あるいは超音波的で、それはわたしたちが生まれる直前に、十カ月近くをすごした水中生活の頃の感覚、ダイレクトな交信の層の記憶とおなじものではないかとみている。(文字どおり潜在記憶だ)。

ブライアン・イーノと弟のロジャー・イーノが最近『ボイセズ(声たち)』という、分裂病者の治療用のテープを出した。水の中を通して聞く音の感じだという。言語障害、情緒障害の子供を治療するシステムとして、母親の胎内の液体濾過音を聴かせて回復させるセラピーがヨーロッパやアメリカで多いそうだが、そのテープの音と『ボイセズ』はとてもよく似ていると伊藤はいう。

『現代詩手帖』二月号は「言葉から〈声〉へ」を特集している。吉増剛造、中沢新一との討議で近藤譲が、こんなエピソードを紹介している。フェルドマンが来日したとき、音楽の先生が質問して、フェルドマンの音楽には展開する物語がなく、「何も語ってない」と批判した。フェルドマンが、その曲の中のピアノとハープがやるとてもきれいな響きの部分を覚えているかとたずねると、質問者は覚えてるという。「それが音楽の内容です」と、フェルドマンは答えたという。

近藤はここで作曲家として、〈語る〉音楽から〈聴く〉音楽へということを考えている。聴かれる音楽、というあたりまえの話ではなく、〈聴く〉という作曲の仕方のことである。〈創造から実現へ〉という仕方で、詩人の吉増剛造はこの発言を受け止めている。耳を澄ませて聴くという、そのときに声も乗せるという、そのような言語を吉増は考えているように思う。

中沢もまた言語学自体が、意味の言語学から〈聴く言語学〉の方向に向かい始めているという。

吉増は古代中国の屈原の作品等を手掛かりに、詩以前の詩、歌われる響きとしての詩、あるいは非詩へと眼を沈めている。

現代詩には〈うたってはだめだ〉という禁止があるという。この禁止のありか自体を問い返すことに向かって、松本隆や天沢退二郎や菅谷規矩雄や藤井貞和が、宮沢賢治や中島みゆき等をとおして、この特集でも、それぞれにちがった立場と角度から触手をのばしているようにみえる。

〈うたう〉ということの二重の意味（音を出す／本音を出す）をとおして、それは言語の身体の問題を、二重に問うことになるだろう。

それはまた、Aが〈うたう〉ということが、BやCやDやEやFにとっては〈くさい〉ことであり〈しらける〉ことであるような、関係の原質あるいは近代の不幸を問うことにもなるだろう。

『声たち』というテープがもしも分裂病の治療に役立つのだとしたら、つまり現代の病としてのスキゾの治癒に役立つのだとしたら、それは言語を声という、あるいは音を聴くという、経験の原初性の方へと呼び返すからだ。

『へるめす』同号の座談会「小説の面白さ」（井上ひさし、大江健三郎、筒井康隆）の中で大江は、ダンテの『神曲』からこんなエピソードをとりだしている。天上界に近く、現れたベアトリーチェがダンテをなじる。「私が肉体を去って霊界に昇り、美も徳も加わったのに、あなたはなぜ他の女を愛したのか」と。ダンテは答えなかったという。

ジャズの大御所ベーレントによる〈聴くことについての本〉が、『モモ』の訳者大島かおりの手で邦訳された（『世界は音──ナーダ・ブラフマー』人文書院）。

〈宇宙は音である〉というベーレントの（古代インドの）コンセプトは魅惑的である。けれどわたしたちが、じっさいに音を聴くことができるのは、空気や水、大地などという、濃密で敏感な分子たちのひしめきの中だけである。〈宇宙は音〉というイメージは、わたしたちの意識を宇宙に解き放つとともに、また幾層もの〈音〉の呼び交わす、奇跡のように祝福された小さな惑星の、限定された空間と時間の内部にいい、呼び戻しもする。

ダンテの時代に人びとの目はひたすら〈天上〉へと向けられていた。それは人類が、じっさいに天に昇ったことがなかったからである。今人類はじっさいに天に昇って、そこに天国はないことを見た。このとき人間を虚無から救うのは、宇宙飛行士が視線を折り返したときに見た

〈青い惑星〉の美しさということだけである。

地上こそ美しいのだと。

「先にはもう宇宙しかない」断崖にまで来てしまった人類は、〈折り返し〉の場所に立っている。

これまでのすべての宗教の課題は〈超越〉ということだったと、植島らはいう。その〈超越〉の方向が現在みえないのだと。

今わたしたちがほんとうに求めているのは、わたしたちを、もういちど〈内在〉させる力をもつ思想ではないだろうか。あるいは超越を超越する思想、世界を新鮮な奇跡の場所として開示する、ひとつの覚醒ではないだろうか。

先進性の空転する時——フィリピンと現代日本

一九八六年三月二十七日

フィリピンの大統領選挙からアキノ政権成立に至る過程は、実に久しぶりに日本の大衆的な関心をひきよせた政治的事件であった。日本の大衆が政治的なるものに熱狂することがなくなって久しい。なぜこの事件が突然のように、そしてごく短期間だけ、日本の大衆の「血を騒がせる」力をもったのか。このことは現代日本の、大衆論、社会論を、見えない潜在性を含めて展開する切り口ともなったはずだが、そのような論稿はなかった。

一つにはおそらくそこに登場し、メディアが生々しく映し伝えた能動的な大衆というものの存在に、ある種〈意外なもの〉——八〇年代の世界にはもはや存在していないもののごとくにばくぜんと感覚されていたものの現出をみて、息をのんだのではないだろうか。〈現在〉の日本の大衆にとって奇妙に縁遠く、けれど奇妙に身近でもある異類にして同類たちの奔流。

もちろんわたしたちの時代は、「第三世界」に過剰な希望とか幻想をよせる時代を「卒業」している。大衆の力だけが権力を倒したというものではないこと。支配階級の内部の対立や、そしてなにより「アメリカの演出」が最後のとどめを刺したこと。「革命」の成果はまた幾たびか新しい支配者たちに横奪されてゆくだろうこと。このようなことも平静に考量されている。だから日本の大衆は、自分の血のどこか一部がわきたつのをクールに知っているような、ある種半端な熱狂の日々を経験したのではないか。

フィリピン現地からの報道としては、大統領選のすこしあとから息長く連載されている『エコノミスト』の、芝生瑞和「フィリピンの混沌」がリードしていた。とくに三月十一日号「昨日の真実は今日の真実ではない」は、先月末の〈世界をゆるがした三日間〉の、臨場感あふれるドキュメントである。

マルコスの戦車の前に身を横たえて素手で追い返す二十万人の群衆。弾圧に来た政府軍兵士たちに花を差し出して抱き入れてしまう陽気な民衆たち。マルコス一族のついに亡命するヘリコプターの爆音を屋上に聞きながら、数時間前の原稿を芝生はくずかごに投げ入れたという。それほど情勢の展開はだれもの意表をつくものであった。

けれど「奇跡」は、もちろん突然のあしたのように来たのではない。

上旬の大統領選挙の直後、中央選管のふつうの事務職員三十人が、開票の不正集計にその現場から抗議して一斉に職場を退出したことは、わたしたちをほんとうにおどろかせた。それがこの国のこの時点では生命を賭けた行動であることがわかるくらいの想像力はあったからである。

それ以前から、選挙の不正を監視するための「自由選挙全国市民運動」（ナムフレル）に、五十万人の無償のボランティアが参加し、各地で殺されたり血を流したりしながら投票箱を監視しつづけていた。

これらの詳細を報じた同誌の二月二十五日号は、「フィリピン社会の奥深い健全さ」（表紙説明）とそれを表現している。

デモクラシーの制度としての健全さでなく、制度に拮抗するデモクラシーの感覚の健康さのようなものだ。

芝生は二年前の同誌で、フィリピン社会が「何かに向けて、確実なゆっくりとした黙示録のあゆみを」進めていることを観測している（八四年二月二十八日号）。ちょうど二年後の前記の号ではじめて筆者は、「すべてが加速度的に動いている」と書き出す。この二年余の困難な日常的な活動の内に、「奇跡」の秘密はあったのだと思う。

『朝日ジャーナル』三月十四日号、為田英一郎の報告は、はじめにふれた、現在の日本人の目に映るフィリピン民衆の「測りがたさ」ともいうべきものを率直に表出している。またその後半、かの三日間の成り行きの詳細な追跡は、芝生の報告を異質の視角から補足している。『エコノミスト』の気迫あふれる連載に、『ジャーナル』が一矢を報いることができたのは、前田哲男「日米安保から西太平洋同盟へ／マニラ動乱の収拾工作に引き込まれた日本の役割」、津田守「マルベニコスとまで呼ばれた前大統領と巨大商社の腐れ縁」の二論文で、〈フィリピンから遠く離れて〉はいない日本との関係に、正面から光をあてていることである。「外国の政変に、これほど多く日本の影をかいま見たのは、第二次大戦のあと初めての経験であろう」。前田はこのように書き出している。短いが密度の高いこの二論文(「日比関係年表」を含む)は、多くの知られていない事実を明らかにする。

フィリピンの報道にふれた日本の大衆の共感と熱狂が、複雑に屈折し分岐するほかはないのは、わたしたちが、どこかで半分はあの哄笑する民衆に似ているとしても、どこかで半分は、あのマルコスの一族の方にも似ているからである。

『世界』四月号が「援助を見直す」という角度から、つまり日本自身の側から、この関係に息の長い検討を加えはじめたことは、月刊誌のメディア役割という点からも、的確な企画であったと思う。

マルコス政権を露骨にてこ入れしてきた日本の巨額の「援助」は、逆に反日感情のもとにさえなろうとしている（村井吉敬論文。津田守・横山正樹論文＝同特集）。アキノ政権にも同様の援助を再開・拡大すればよいという問題ではなく、援助が現実に現地の民衆を潤すものであるように、他の諸国への援助を含めて、「援助」の構造を徹底的に見直すべきであるということを両論文は指摘している。

「経済大国の責任」という、最近論壇の一部で喧伝される言葉も、このような内実をこそもつべきだろう。

鈴木佑司「マルコス体制崩壊の構図」（同誌）は、今回の政変の背景を、インドネシア、マレーシア、あるいは韓国といったアジア諸国との比較と関連の中で、広い視野からとらえている。「マルコスなきマルコス体制」の再現をも含む、あらゆる可能性の分岐するところに立っているこの国の未来の選択に、日本の経済協力の質も決定因の一角を構成していることを、この論文もまた示唆している。

石原慎太郎「アキノ政権誕生――氏族社会の黎明」（『中央公論』四月号）は、フィリピン社会が日本史でいえば「封建主義時代にも達していず」「古代の氏族社会とでもいうべき」であるとしている。軍隊に国家意識の形成がなく、「氏族社会」の雇い兵であったことが〝静かな革命〟の成功の原因であると。

栗本慎一郎は『朝日ジャーナル』前記号で、メディアの利用という意識に関しては「アキノ派のほうが保守的」で、「マルコスのほうが演劇性を意識して先進的」であったと指摘する。

そのマルコスの、「先進性」の限りをつくしたメディア・パフォーマンスが、フィリピン民衆の正義感の古典性ともいうべきものの力の前に、ぶざまに空転して吹き飛ばされたというなりゆきは、日本の「ポストモダン」の〈現在〉をふりかえってみて、多くのことを考えさせる。「氏族社会」と石原がいうフィリピン社会の、デモクラシーの「奥深い健全さ」という逆説ともそれはどこかでつながる。

先進的でなどなくてもいいのだ。

言説の鮮度について――教育のことばの困難

一九八六年三月二十八日

「青物」の魚、サバやイワシは、都会では「大衆魚」として「高級魚」から区別されたりしているけれども、漁師たちはこの「青物」こそをとりわけ美味の魚としているという話をきいたことがある。ただ青物は「足が早く」て、流通の過程であまりに急速にその生鮮度をおとしてしまうと。

今月は二つの雑誌で「いじめ／体罰」の大きな特集を組んでいる。『世界』四月号「体罰・いじめ」と、『ひと』四月号の「いじめ・体罰を許さない」である。

『世界』の特集で、わたしがとりわけ刺激をうけたのは、石川憲彦「いじめにはまだ『希望』がある」である。石川は、ある中学生の自死の事件の、「解決」のされ方を問い返しながら、このように語る。「いじめ」事件が表面化すると、学校は、父母や教師の「まとまった」「一体となった」行動による「解決」を図る。けれど本当に必要なことは、弱い者が自由に発言してゆける空気をつくることである。「まとまり」の強調による解決は、弱い個人が弱いまま素直に発言することを、押さえこんでゆく構造をつくる。そもそも「いじめ」一般は、世界中どこでもみられる、子どもたちの成長にとって必要なものでさえある。問題はこれが、陰湿な閉鎖集団の中のいたぶりと化していることにこそある、と。

石川のもどかしそうな文章が示唆しているのは、「いじめをなくす」という考え方を、それ自体、問い返してみることであるように思う。

いつの時代もどこの国でも、子どもはいじめたりいじめられたりしながら育った。それが子どもや大人の集団の、有言・無言の批判のまなざしにひらかれていることをとおして、異質の他者や弱い者への感覚と関わり方を、少しずつリアルなものに深いものにとしてゆくことで、「いじめる」という関係を一皮ずつのりこえてゆく、この幾年もかかる過程が、それ自体、学ぶとか育つとかいわれていることの内実である。この内実をぬきに一挙に「いじめをしない」等という、大人にもできない標語（人をいじめていない大人が現在の日本に幾人いるか？）を性急におしつけるなら、「学校の名誉」とかそのほかの外面的なキレイゴトの下に、子どもたちの自分で伸びてゆく力——過ちをくりかえしながら、傷つきながらでも伸びてゆこうとする力自体を、ぬりこめてしまうのではないだろうか。

『ひと』の特集では、久保田道子と伊東信夫の報告を心躍らせて読んだ。

久保田の記録は、小学校六年のひとりの女の子へのいじめを契機に、二学期のほとんど全部をつかって、ひとつのクラスが、性と生誕のしくみを学んでゆくおおさわぎのてんまつである。理科の教材に「人体」を学ぶ単元があるので、知りたいテーマを選んでグループ作りをしようとするのだが、「いちばん調べたいことが教科書にはない」と子どもたちがいいだす。無記名アンケートをとると、男子の半分、女子の八割は、「子どもが生まれるしくみ」とか「男子・女子のちがい」に関心をもっている。そこで教科書はやめて、「男性・女性の生殖器」とか「受精のしくみ」といったグループに分けてまず自主学習をさせると、毎時間先生が教室に入る以前から、子どもたちはもう頭をよせあって参考書と首っぴきである。「生徒たちの知りたいという気迫に圧倒されつづけた三カ月」であったという。

ここでこの教師と小学生たちは、いじめ一般を一挙に「なくそう」とか「許さない」とかしたのではない。たったひとつのいじめを機会に転化して、三カ月クラスの総力をあげて、自分や級友が今生きていることの不思議さと重みとの感覚に至る、たくさんのことを順次に獲得していったのである。

伊東の報告は、ダイちゃんという「自閉症児」が「伊東先生のツルッパゲ!!」「伊東先生シンジマエ!!」という大音声、大悪態を突破口として、言語能力と関係能力を一気に拡大してゆくというてんまつである。ダイちゃんは班作りの時、はじめは、やさしくしてくれる女の子の多いグループを選んで入ったが、だんだんと渡りあるいて、結局クラスのいちばんの悪ガキ連のグループに安住した。あの解放への突破口を入れ知恵したのは、そこの悪ガキ連である。

「ツルッパゲ」「シンジマエ」という言葉自体に、よい言葉もわるい言葉もありはしない。この時のこの悪態は、「わくわくした心に裏打ちされたことば」だから、最高のことばなのだと、伊東はいう。

「子どもってほんとにすばらしい」「先生ありがとう!」といった、ことばだけをとりだしてみると「気恥ずかしくなる」ようなことばも、このような記録の中では生きている。これらのことばは、それが思わず生みおとされるその固有の場所の中では、それぞれに一回かぎりの、真実のことばなのである(そうでないことももちろんあるが、そうであることも一生に一度はあるのだ)。同時にこのような鮮度の高いことばは、言葉がその中で生きている〈関係の海〉

の中から言葉として釣り上げられるとき、たとえば「子どもはすばらしいのです」という観念の一般性として抽出され、流通するとき、それは「教育くさい」言説として、あのわたしたちをへきえきさせる特有のにおいを発散しはじめる。魚が魚でなくなる時に「魚くさく」なることとおなじに。

教育にかぎったことではないが、教育の現場でことばが輝いたり踊ったりするというとき、その輝きや躍動は、その時その場に立ち会った子どもたち、大人たちの中でだけ新鮮に生きつづけられる。それが他人に伝えられ、後世に残されようとするとき、苛酷な変質を開始するのだ。大事なことばだからしまっておいた方がいいのだよ、とでもいうように。

子どもをめぐることばは愛のことばとおなじに、とりわけ足が早いのだ。

『世界』の特集の巻頭で高史明が、「大きな命の優しさを信じて欲しい」という題で、思いをのべている。このことばは高史明が、高史明に固有の生きられた苦痛の中で、たしかにつかみとってきたことばである。このように人がことばをたしかにつかみとる、という事実にたいして、わたしは素直でありたいと思う。――けれどこの言葉が高史明という存在をはなれて持ち回られるなら、たちまち歯の浮く美辞にすぎない。まして「教育」という場などで、固有の存在の裏打ちもなしに大人がこれを説教したりするなら、どんな善意でされようとそれは、「やさしさ」とか「命」とか「信じる」という言葉にたいして、シラケルことしかできない世代を増殖させるだけである。教育の言葉の困難が、ここにあると思う。

「教育」をめぐる言説の、避けがたい退屈さともいうべきものが、一方にある。けれど現場の記録の中には、ほんとうに心魅かれるものがある。この落差は、「教育」という関係の様相はなにか固有の原質に根ざすものなのか。それともこの落差をふみこえる思想の文体を、わたしたちが、まだ見いだしていないだけなのか。

四つの肌の環の地平——新人類という原住民

一九八六年四月二十四日

白色・黒色・黄色という三つの人種群が地球上にはいるというのが、わたしたちの「常識」である。けれど最近のアメリカなどでは、これに赤色人種を加えた「四つの肌」という考え方が、定着してきているという。赤色人種とは、もちろんアメリカ原住民(「インディアン」)である。「科学的」には、黄色人種群の仲間という説も有力であるが、賛同しない学者も多い。人口は四つの群でいちばん少ないが、一六世紀からの白人によるジェノサイド(人種大量殺人)以前は、当時の世界でケタちがいに少数であったわけではない。分布面積は、四つの人種群でいちばん広かった。

『人間家族』(同編集室)の今月発行の号外号は、黒・赤・黄・白の四色の環という、現在のアメリカ原住民の運動のシンボル・マークを裏表紙にデザインしている。

四つの肌の色の環というイメージは、七八年の「ロンゲストウォーク」の中で鮮明になったものである。この行進は、白人と原住民との間の条約を、白人の側で一方的に破棄しようとする議案を止めようとする意図も含めて、「合州国」を歩いて横断したものである。行進には一万人の赤人と、数千人の白人・黒人・黄色人が参加していた。結局条約破棄の議案は廃案となり、さらに二年後八〇年には、合州国「建国」以来はじめて、原住民の信仰の自由を認める法律が成立した。半年にわたる行進の間に行われた儀式には、赤・白・黒・黄の肌の人たちが幾人かずつ集まって祈りの輪を作ったという（同誌）。

この号外は、今年の七月六日を期限として、今世紀最大の規模の北米原住民強制移住が執行されようとしていることに対する、国際的な抗議の活動の一環として発行された。住民が移住を拒否しているので当日は衝突が予想されるが、両者から離れた位置で、諸人種の目が注がれているということを原住民たちは求めているという。

マックス・ウェーバーが〈資本主義の精神〉の典型的な体現者として引照したベンジャミン・フランクリンは、原住民を北米大陸から絶滅することを望んだという（金関寿夫『アメリカ・インディアンの詩』中央公論社）。赤色人種の存在を消した今日の「常識的」な世界像は、このようにかれらを〈旧人類〉として、葬り去ってきた精神の帰結としてある。

アイヌを「旧土人」と呼び、現在では和人の中に「まったく解消してしまった」と公的な書物の中で規定する日本の近代精神も同様であった（『誌名ただいま選考中！』誌＝仮称・少数民族支援センター＝第三号）。

〈旧人類〉をこのように「消去」してきたひとつの文明が、今その先端で、〈新人類〉といわれるものの出現に当惑している。

当然の因果といえる。存在するものを〈旧《ふる》いもの〉として、想像力もなく破壊し去って何も感じない精神は、必ず自らが〈旧いもの〉として、想像力もなく葬り去られる日を自分自身の力で、生み出してしまうものである。

今月の日本の論壇の大手の三誌は、いずれも「新人類」というものをめぐる記事や特集を組んでいる。その表題に現れる問題感覚のスペクトルは、それ自体多くを語っている。

「新人類を迎え撃つ我が社の対策」（『文藝春秋』）。「新人類企業内飼育法」（『中央公論』）。「若いひとの元気」（『世界』）。

『文藝春秋』の人事担当者座談会は、「新入社員は原住民だ」という、経営学者の発言から出発している。「新人類」には、「人をかきわけてでも、という競争意識がない」こと等々に一同がふんがいしている。けれども企業に入ってしまえば案外従順に従うものだから、「新人類は決して恐くないということですね」ということばで、結ばれている。

『中央公論』も、「新人類」を「理解の範囲を超える」ものとしつつも、「立派な企業戦士に変貌」させてしまう研修のやり方を紹介している。「新人類」の感覚をさらに積極的に、商品開発に利用して成功した例も示されている。「カンチューハイ」「Be」などのヒット商品はその例であり、アサヒビールでは「三十五歳以上の社員は製品開発に口を出すな」と会長が厳命している位だという。

『世界』の特集の中では、青年たち自身の行動の記録のいくつかがきわだっている。

「ピースボート」の創始者の一人辻元清美。「昔戦争があった所を何年かかけて回ってみよう。せっかく行くなら世の中を騒がせていこう」というわけで一万トンの外航客船をチャーターし、数百人の旅団を組織。小笠原、硫黄島、グアム、サイパン、テニアンに八三年。南京大虐殺と香港占領の跡で直接体験者の話を聞く旅が八四年。ベトナムの米軍「枯れ葉作戦」とカンボジア大虐殺という、二つの体制によるジェノサイドの実地に八五年。今年のフィリピン大統領選では前日マニラへ、売春ホテルに泊まり、三週間後にはアキノの勝利集会の壇上にもぐりこみ、アギラのギターでフィリピンの民衆と歌う。必ず現地の人たちと直接交流し、討論し、考えている。豊富な年月だ。

川村暁雄や中本啓子や上村英明や高見裕一もそれぞれにちがった仕方で、食べ物や医薬や身体や「廃品」や資源や環境といった、自分の生きる場の具体的なモノと暮らしに足をつけながら、同時に軽々と国境を越え、「近代産業社会の構造そのもの」を問い返す民際的な交流の環を編み上げている。

最初にふれた『人間家族』の号外号を編集した河本和朗もこの世代である。


七〇年代に続出する「××族」という人類学的なメタファーはすでに、世代間の肌合いのある異質性を表現していた。八〇年代の「新人類」というメタファーはこの異質感の、部族論的水準から人種論的水準へともいうべき深化を表現している。

この現代の〈原住民〉は、彼らを「迎え撃ち」、「飼育」しようと待ち構えている人たちがリアルな眼でみてたかをくくっているように、たいした芯のあるものではないのかもしれない。「商品化」し「市場化」しうる部分だけ、ちやほやされて「使い捨て」られてゆくものであるかもしれない。それとも真っ赤な悪罵を吐きながら、きみもまた老いさらばえてゆくという「世代」のまたひとつにすぎぬものかもしれない。

けれどまた、辻元清美や川村暁雄や中本啓子や上村英明や河本和朗たちの中には、第四の肌の原住民たちともはるかに呼応しながら、「新しさ」という強迫観念に駆り立てられてきた幾世紀かの文明自体を、包囲し、限定し、問い返してゆく感覚と視界の地平が獲得されているように思う。

非情報化／超情報化――安全という言説の危険

一九八六年五月二十九日

チェルノブイリ。ロシア語で「黒い事実」という意味の場所。不吉な事実、の意味合いもある。

わたしたちが事故を知ったのは三日か四日後、現地から千数百キロも離れた北欧諸国で異常な放射線量を記録したことからだ。当初の死者は二名とも二千名ともいわれた。事故は事故それ自体の「黒さ」だけでなく、この事故が語られる仕方、（そして、語られない仕方）においても「黒い」。そしてこの情報／言説の水準自体が、ソ連の秘密主義、その秘密主義を非難しながら利用しているアメリカの情報操作、この両者にいらだちながらまたそれに便乗もしているごとき各国の報道のされ方といった、幾層もの「黒さ」の層を肥厚している。

そしてこのように、事故が語られる／語られない仕方の「黒さ」が、当初の事故それ自体を発生し、「次は日本かフランスか」といわれる諸国で同様の事故を発生するかもしれない構造の環をなしているという仕方で、言説とその外部とが支え合い、クラインの壺のごとくにいりくんで循環しながら閉じられたひとつの系を形成している。

実はアメリカは事故の直後に「偵察衛星KHⅡの軌道を変更して現地上空を飛ばし、解像能力十センチといわれる高性能カメラで現場を」撮影していた（『週刊朝日』五月二十三日号）。そこには原発からわずか一・六キロのグラウンドで事故を知らされない数人がサッカーを楽しんでいる姿さえ写されていたという。百三十キロ南のキエフで後日、子供は日に一時間以上戸外に出ないよう通達が出され、今後何十年にもわたって白血病やガン患者が多発する恐れがあるというから、サッカーの数人はすさまじい放射線量を被曝していたはずだ。「国家秘密」というようなものを優先するシステムの、残酷である。

超情報化と非情報化のこのグロテスクな同時性／表裏性こそ事件の核心にあると同時に、この核心と現代世界の構造の全体性との連動を一気に刺し貫いている、垂直の原光景である。

米ソの「情報戦争」という角度から事件に明快な照明を当てているのは、『週刊ポスト』二十三日号田原総一朗論文である。

ソ連は「隠して隠し抜く」。アメリカは「スパイ衛星によって初期の段階で詳細につかんで」

いながら、「情報を真偽をおりまぜて流出させる」ことで世論を操作する、と。

『朝日ジャーナル』同日号で高木仁三郎も、ソ連にのりこんだＩＡＥＡ（国際原子力機関）の西側役員たちが、記者会見で事故原因を一切答えていないのに、「ソ連政府の事故への対応は正しく、情報提供も極めて満足すべきもの」と懸命に弁護している「怪々」を指摘している。「両陣営」の原子力関係者同士の間で、情報としての「事態の収拾」が早々と行われている。

――言説の外部の事態自体の収拾とはべつの話だ。

同誌前号広瀬隆も、各国とも被害の発表を極力かくすという奇妙な事態にふれている。汚染の発表は農産物輸出をはじめ、各国産業に痛手となるからだ。国内的には牛乳や野菜を規制し、甲状腺ガンの恐怖から母親たちが「薬局を走りまわり、ヨード剤を買い求めたパニック」にもかかわらずである。広瀬が水俣病の時、企業の「安全」宣伝が、実態としての被害を拡大した故事をふりかえっているように、「イタクナイイタクナイ病」の国際版である。

同号高木論文は、日本の政府発表が国内に向けても同じであるという。「原子力安全委」による「原発周辺の防災対策」は毎時一ミリレム以上を被曝する対策範囲を、十キロ位に限定した。高木らが三百キロ程の範囲を想定して批判した時、原発推進側は大げさな想定として嘲笑した。しかし現実に今回の事故は、千数百キロの地点でも一ミリレムを記録している。その

「安全委」の防災基準でさえ、汚染飲料水の摂取を制限する目安をヨウ素三千ピコキュリーとしている。今回千葉では一万三千、東京でも九千ピコキュリーを記録したが、科学技術庁はひたすら「安全」を強調している。

『週刊現代』二十四日号は「アメリカの原発撤退に追随せよ」という硬派の特集を組んだ。八〇年代に入ってアメリカでは、次々と原発計画をキャンセルしている。九七パーセント完成した原発まで放棄している。七九年にジョン・ウェインは全身にガンが転移して死んだ。その主演する『征服者』は五四年に、核実験場に近いネバダ砂漠でロケを行った。このロケに加わった二百二十人の内、九十一人がガンを病み、主演女優スーザン・ヘイワードも六五年に発病、皮膚ガン、乳ガン、子宮ガンと併発して七五年に死んだ。かつては熱心な原発推進派であったレーガンやアメリカ政・財界の方向転換には、このような「第二の被曝国民」としての戦慄と自覚があったと同特集は示唆する。

原発と原爆とは違うのだと日本では語られている。けれど今回の事故原発（日本の東海第二等とほぼ同規模）は、広島原爆数十発分の放射能を散布している。それはネバダの実験の十年間分の死の灰の、十倍である（前掲広瀬論文）。

日本の原発はソ連とは型がちがうから安心だ、とりわけ格納庫があるというのが、原発存続派の主な論拠だが、今回のような事故がおこれば「日本の原発のどの格納容器も破壊される」と高木はいう（前掲論文）。

ガン等の多発に恐怖する「地元都市」キエフと事故原発との距離は、東京と東海原発との距離とほぼ同じである。世界地図的にみれば、東京も原発の「地元」なのである。京阪神、中京、北九州も同じだ。人口等の密度からする実際の危険の高さがソ連やアメリカ以上であることは、高木や多くの論者の試算するとおりであろう。

『エコノミスト』二十日号では、原子力研究所副主任研究員であった中島篤之助が詳細な技術的検討を加えているが、「わが国では炉型が違うから事故は起こりえないなどという対応こそが最も危険なのではあるまいか」と、結語している。

『週刊現代』特集の第三記事は、福島原発の下請け従業員の大量被曝が本人にも知らされないで来たこと、東電本社にこの件で問い合わせた現場責任者に、親会社から何回も電話で圧力がかかってきた事実を報じている。七四年にはアメリカで、原子力産業の労働被曝を告発しようとした女性技師が「自動車事故」で消され、後年全米的な問題となった（ラシキー『カレン・シルクウッドの死』社会思想社）。ソ連事故を報じた五日付『朝日新聞』の記事に、こんな情報が小さくあった。「二十八日には五人の原子力専門家を乗せて現場に向かったヘリコプターが付近の川に墜落して、全員が死亡した」。十分確認を要することだが、不気味なものを感じた。

非情報化する情報化。

チェルノブイリの事故はただ、みえないものをみえるものにしただけである。戦後期の「論壇」を支配してきたあの二項対立の思考をそれは単純に破砕している。けれど（今更）そんなことよりも、「事件」を幾層にも性格づけている非言説という言説、非情報化という情報化ともいうべき仕方での、言説とその外部との循環する閉鎖系のようなものの内には、現在する世界のかたちを解きほぐしてゆく糸口が封じられているようにみえる。

差異の銀河へ——国境を超える二つの仕方

一九八六年五月三十日

『中央公論』六月号の特集「日本人よ『日本』にこだわるな」は、昨年八月の時評でとりあげた特集「八〇年代日本のアイデンティティ」の主題を深めたものであり、本年五月号の小特集ともつながるものである。息の長い問題意識をもつ編集者の存在を思わせる。

特集冒頭、山崎正和の「日本文化の世界史的実験」と、鄭仁和によるドキュメント「越境」とは、スタイルも思想の内容も全く対照的である。

山崎は「第一に疑へない事実」として、「日本の国際化とは西洋的な世界に適応することである」という前提に立ち、日本は今「敗けるが勝ち」というつもりで、日本の文化的特異性そのものを非難する「国際世論」の要求を受け入れる他ないのだと主張する。

鄭のドキュメントは、東南アジアの数々の国境をこえて生きてきた在日少数諸民族の人たちの視座から、国家という単位の意味をいわば下から相対化し、問い返している。

加藤典洋「リンボーダンスからの眺め」は、この二つの「国際化」の仕方の対照を理論化している。人間が国境をこえる仕方には、〈上からの越境〉と〈下からの越境〉があると。前者は今日多くの「国際化」論者が前提しているように、自己の文化を「外に向かって均質化」してゆくという方向であり、後者はたとえば鄭の報告が語っているように、国家というものを「内に向かって差異化」してゆくことでそこから自由になる方向である。

最首悟がある時に障害をもつ自分の子供にふれて、「『みんなが同じ』なのでなく『みんなが違う』のだと」のべたことを引用しているように、加藤自身は後者に立っている。「『みんなが同じ』という均質化の力こそが差別をつくる」と。

加藤の図式は、さまざまな思考を触発する力をもつ。

たとえば性差別をどのようにこえるかという時に、それは近代主義的な仕方とは異なる仕方でこえる方向を示唆する。男女の差別をこえるという時、「女である前に人間です」という言い方で、同質性に還元してゆく仕方がひとつある。もうひとつ「女といっても一人一人違う。男といっても一人一人違う」という言い方で、異質性をきわだたせてゆく仕方がある。最首の言い方をかりれば、〈みんなが同じ〉という仕方で差別をこえる方向と、〈みんなが違う〉という仕方で差別をこえる方向とである。

異質なものの呼応と交響、というあり方に魅かれるわたし自身には、〈みんなが違う〉という言い方の方が、得心がゆく。異質化は世界をすてきにしてゆく。(同質化は世界をたいくつにする!)。

宇野邦一が、ドゥルーズ＝ガタリの『アンチ・オイディプス』(河出書房新社、五月刊)にふれて語った言い方でいえば、「差異の銀河」へという仕方でコードを脱する方向である(『週刊読書人』五月十二日号)。ドゥルーズ＝ガタリの方法は、もちろん加藤や鄭や最首の問題と呼応している。

〔差異化はもちろん個体のアイデンティティをも脱解する。「一人一人違う」という言い方はまだ近代主義的であって、「その都度に違う」というべきである。しかしこの論点を導入すると議論が面白くなりすぎて時評のわくを越境するので――これ以上越境するので、今回はその手前の水準で禁欲する〕。

けれどこの時、近代的な同等化という理念は、このような異質化的解放と対立するものなのだろうか?――このことは加藤論文の、基本的な問題点をふりかえって再考させる。

差別とは、たとえば「女だから」「男だから」という仕方で、一人一人の異差を消し、性アイデンティティ（その他の差別アイデンティティ）への同質化を強いる装置でもある。前近代の共同体（の多くの形態）は、身分役割、性役割等々の内に、個々人を同質化もしてきたのであり、この格子から個々人の異質性を解き放つ上で、「近代」の万人を同等化する理念は力があったという逆説がある。女性解放運動がイヴァン・イリイチを批判して強調するのはこの点である。

河野信子が『家族幻想』（新評論、二月刊）でみているように、イヴァン・イリイチへの近代主義的なフェミニストからの批判は、イリイチの思想の「浅い層」だけに反応したものだともいえるけれども、この「浅い層」に関するかぎり、その批判は全く正当なのだ。

生と関係の豊饒な異質化こそが獲得されるべき内実であるが、この異質性を解き放つ地平を用意するものとして、法や理念の形式としての同等化が必要であった。

このような立体的な把握は、加藤がその論文の末尾のところで、困難なアポリアを前に立ち止まっている地点をこえる視界をひらく。

加藤のすぐれた論考の小さな欠点は、標準語の問題と共通語の問題を混同しているところに現れているように思う。エスペラントの精神と東京標準語の精神は異なるとわたしは思う。宮沢賢治は、岩手の土着語とエスペラントや自然科学の普遍語とを立体的に方法としながら国家をこえたのだ。加藤の比喩を続けて使えば、国境を下から／上から越境したのだ。「インディアンが部族言語だけを持ち、標準語をもつことがなかった」ことに加藤が学ぼうとしていることに、わたしは共感する。共感するが、加藤がここで「標準語」を「共通語」一般と同一視していることから、加藤は論理的な困難に自分を追い込んでしまったと思う。

アメリカ原住民がもし共通語を持とうとしなかったとすれば、それは彼らの美しさであると同時に、弱さでもあったのではないか？

わたしたちに必要なことは、共通語をもたないことではなく、「標準語」に転化することのないような仕方で、つまり土着語を抑圧することのない仕方で、共通のことばをもつということではないか？

これは「近代」をどうのりこえるかという問題である。〈共通のもの〉を〈標準のもの〉に転化することをとおして、〈土着のもの〉を解体し風化してきたのが「近代」市民社会（ゲゼルシャフト）である。これを批判して〈共通のもの〉をもつまいとするのは、共同体（ゲマインシャフト）の閉鎖性にもどることである。それは「近代」の普遍化する力のまえに必ず敗北する。勝敗を今問わないとしても、「近代」は同等化する理念をとおして、均質化する力をとおして、個別のものを解き放ってきた。この同等化する理念、均質化する力じたいが、同時に個別の異質性、固有性の実質を生み出す経験の根を解体し、風化してきたという逆説。近代をこの逆説として、両義性としてとらえるところからしか、近代をこえる視界はひらかれてこないと思う。

近代をこえるということは、文化と文化との間であれ、個人と個人との間であれ、人間と他の存在の形たちとの間であれ、各々に特異なものを決して還元し漂白することのない仕方で、きわだたせ交響するという仕方で、共通の〈ことば〉を見いだすことができるかという課題に絞られてゆくように思う。

国際化都市の光と闇——東京・一九八六年

一九八六年六月二十六日

「東京論」ブームだという。『世界』七月号は早くも、「東京論ブームの裏側」を特集している。『THE 21』七月号（ＰＨＰ研究所）も「東京　都市進化論」を特集し、『広告批評』六・七月合併号は「東京名物評判記」を特集している。『ニューヨーカー』の向こうを張ったという季刊誌『東京人』が創刊され、九州・四国からもどっと注文が来ているという。〈水俣〉がそうであるように〈東京〉もまた、ひとつの地域でありながらひとつの地域でない主題として、存在している。

『世界』の特集によればこの三ヵ月間に、東京をタイトルとした本が三十一冊出たという。都市論や東京論を専攻する若い友人たちに案内されながらその内の半分位に目をとおしてみた。

それらの書物が様々な声を重ねて唱和するのは、「今、東京が面白い」というテーゼだ。粕谷一希による（と推定される）『東京人』創刊の辞にも、「いま、東京は面白いという囁きに呼応して、その面白さの奥行きと広がりを模索」する雑誌にしたいとしている。

東京の「面白さ」にはいわばオモテとウラがあり、オモテは二一世紀に向けて、国際都市TOKYOに変貌するという流れ、ウラは一九世紀以前の、江戸風のものを見直す視線のようなものだ。今月の特集でいえば、『THE 21』は、主として未来都市TOKYOに向かう面白さをテーマとし、『広告批評』は江戸風評判記の面白さをスタイルとしているという具合だ。同誌は前号も江戸特集という気の入れようである。

『THE 21』の特集が描いているような、「高度情報集積24時間都市」へという展望の基礎となるデータや考え方を、いちばん手ぎわよくまとめているのは、アクロス編集室編『新東京論いま揺れ動く、東京』（PARCO出版）だろう。マーケティング情報誌『月刊アクロス』の数年間の記事を集約したものだという。

たとえば八〇年代に入って、渋谷駅の乗降客数は東京駅をぬいて第三位となり、一、二位の新宿、池袋と共に重心の西方移動を示す。その背後には、本社ビル街の中心の「三区から3Aへ」（千代田・中央・港から赤坂・麻布・青山へ）といった移行もあるわけであるが、このことの背後にはまた「国際化」がある。外資系企業とその関係者たちは職・住・遊の近接という

「24時間都市」の環境を選ぶからである。この国際化はまた時差の関係から、情報の発信・受信の業務を中心にビジネスの24時間化を促す。それがまた交通・消費を含めた都市生活全般の24時間化を帰結する。等々。

『都市問題』六月号（東京市政調査会）で服部銈二郎は〈川の手／山の手／海の手〉という都市社会分類法を提起している。大阪は川の手、京都は山の手、神戸は海の手の街というように。東京の「下町」は隅田川・荒川筋の「江の戸」の川の手、「山の手」は武蔵野台地の山の手、これに対して前述の3Aゾーンが現代東京の〈海の手〉であると。世界に向かって開かれた異国のにおいのする街というわけである。

ウラとオモテの東京の「面白さ」という言説にたいして、この両面をくるめての「裏側」をみようというのが、『世界』の特集の主調音である。宮本憲一「TOKYOとエドの谷間――国際都市論の虚実」と、須田春海「鈴木都政を点検する」は、経済学・都市政策論と住民運動の立場から、それぞれこの「面白さ」の裏側にある東京の「住みにくさ」を指摘している。たとえば「国際化」ということも、現在ニューヨークがかかえているような移民問題等々の困難な裏面をも引き受けることであることに宮本は目を向けている。

東京は「面白い」という言説と東京は「住みにくい」という言説は、どちらも真実だと思う。

わたし個人は、生きにくくても面白い人生の方が好きだから、「住みにくいけれど面白い」都市は大好きである。ボンベイでもメキシコシティーでもリオデジャネイロでもニューヨークでも、わたしの好きな都市はみんな危険で住みにくい。デリーの安宿で同宿したアメリカ人ヒッピーが山谷ブルースを愛していたり、裏の国際化も悪くないなと思ったりする。(裏の国際化の芽については『東京人』第二号、川本三郎の「エスニック・タウン大久保界隈」がよく伝えている)。

けれどこのことから、東京の現在の「面白さ」を手放しで礼賛するという気にはなれない。ほんとうは今月読んだ雑誌の中で、圧倒的にわたしの心を動かしたのは、『思想の科学』の六月臨時増刊号「水俣の現在」である。これは明日集中的にとりあげようと思う。このもうひとつの海の手の現在という光源を対照においてみると、東京の現在の「住みにくさ」などは、しれたものである。けれど同時に、東京の現在の「面白さ」もまた、しれたもののように思える。

東京は「面白い」という言説の流行に対して、『世界』は東京は「住みにくい」という特集を組んだ。これはこれまで、新保守主義やポストモダンの言説に対して、革新の側がとってきた批判のパターンだ。過半の東京の住民は、その「住みにくさ」と「面白さ」「便利さ」をはかりにかけて、保守の都知事や首相を支持しているのだと思う。石川真澄の同誌論文は「選挙前の『深い保守化』」を分析して、消費革命と「革新の無化」に着目している。ある種のあいまいな断念と背中合わせの享受の感覚ともいうべきだろうか。

『東京劇場▼ガタリ、東京を行く』（フェリックス・ガタリ、平井玄、浅田彰、竹田賢一、ラジオ・ホームラン、梶洋哉＝UPU刊）でガタリは、山谷を起点として東京を横断している。そこでは今も餓死、凍死、衰弱死、病死が日常的である。サラ金や手形返済のできない現代の新しい難民たちもこの人知れぬ矛盾の最終処理場に流れこもうとしている。ガタリは山谷の残酷が、「日本の階級ピラミッドの他のすべての階層にも別のかたちで」、子供や老人や失職者たちの関係の中を横断していないだろうかと記している。

東京電力のきれいなテレビCMは光り輝く大都市の夜景をバックに、〈わたしたちの電気の三分の一はもう原子力発電です〉という、じつに教育的なメッセージを流す。国際都市TOKYOになろうとしているひとつの巨大な都市の「明るさ」が、どのような土地土地の汚染と恐怖と断念の闇に支えられているかということ。そしてその「明るさ」自体がどのような夜の明るさであるかということ。CFは幾重にも凝縮された、すぐれた東京論である。

東京は「面白いけれど住みにくい」のか「住みにくいけれど面白い」のかということは、はかりにかけてみることもできる好みの問題である。そこで語られる「面白さ」や「住みにくさ」の底を踏みぬくところに現出するはずの〈生き難さ〉と〈面白さ〉の闇と光を、「面白い」という言説と「住みにくい」という言説が、舗装している。

沈められた言葉たち——水俣・一九八六年

一九八六年六月二十七日

『思想の科学』の六月臨時増刊号「水俣の現在」は、公式確認三十年後の現況を特集している。三年ごしの企画という編集後記のことばに掛け値のないことは、内容の充実からわかる。『朝日ジャーナル』五月二十三日号も「『水俣』の三〇年」を特集し、今年はなお断続的に水俣の「第二世代」をフォローすることが予告されている。

五月一日「公式確認三〇年」集会での水上勉の講演を『ジャーナル』同号は収録している。水上が水俣病と関わったのは二十七年前、洋服の行商をしている時に扱っていたアセテート生地が、チッソの製品であったことからであるという。水上の在所である若狭の大飯町とその周辺とは、現在原発の世界第一の密集地である。そこの最大のドーム二つで、ちょうど「京都の繁華街がにぎわう午後七時から九時という、一番電力を使うころ」の毎時の電力をまかなっている。このように関西電力の人から説明をうけたという。水上が言おうとしていることは、水俣病は水俣の病ではない。わたしたちの生きる仕方が水俣で、わたしたちの病を発現しているのだということである。

『思想の科学』の臨時増刊で栗原彬が、土本典昭が、また石井雅臣が大沢忠夫が、それぞれのことばで記しているように、水俣病とは、ひとつの社会を生きるひとびとの「人と人とのつながり方」の問題である。（以下たんに筆者・話者名のみを記した論文・記事はすべて、この臨時増刊号収録のもの）。

　水俣病の身体症状をハンター・ラッセル症候群という。視野狭窄、難聴、言語障害、運動失調、等々。患者の運動の中心を担ってきた川本輝夫は今、企業や行政が「偽ハンター・ラッセル症候群」であるとみている。被害の実態をみえないふり、きこえないふり等々というわけである。それは全く正しいが、人が仮病を使うときには、どこかで本当に病んでもいるからだ。原的なところでじっさいに何かが見えず、何かが聞こえず、その言語も行動も障害されているゆえにこそ、仮病を使う神経も可能となるだろう。そしてこの原的なハンター・ラッセル症候群とは、企業や行政だけでなく、わたしが病んでいるものであり、わたしたちが病んでいるものである。

水俣病の幾十年もの痛苦と運動の経験がつかみとってきた思想の〈現在〉が、「チッソ型社会」からの解放ということ、「水俣病を生み出す社会の在り様」を転回するというモチーフに焦点を明確に結びつつあることは、必然であった。

この臨増号のボディの部分は、公害依存型の社会とは異なる仕方の生産と流通と消費の仕方、生活と教育と関係のあり方の創出をめざして胎動しはじめた、二十余りの集団やネットワークの記録にびっしりあてられている。

映画プロ青林舎の高木隆太郎はその中で、「水俣病の運動には本当に健康な世代の重層がある」と語る。「八〇年代」の流行する諸々のデザインの言語たちの中で、この「病」をめぐる運動の文体のきわだってある健康さというべきものは、ほんとうに皮肉な逆説である。わたしたちすべての病がそこで一気に病みつめてその開口部からの浄化を開始してでもいるように。

『朝日ジャーナル』前記号の「第二世代」座談会は爽快である。川本輝夫の長男愛一郎をはじめ、運動を担ってきた若い世代の仲村昭一と柳田耕一と、チッソの技術部長・水俣支社長であった徳江毅の子息倫明が同じ土俵で、きたんなく語り合っている。徳江倫明は、自分と患者さんたちの立場の違いが歴然とあってしまうことを正視したうえで、「その間を無理やり埋めるとかはしたくない」と語り、自分なりの有機農法運動「大地を守る会」を地道にやってきている。――治癒へと向かう幾千の試行の線の内の一本のたしかな線が、細く引かれる。

この運動の文体のもうひとつの特徴は、どもる文体、ともいうべきものだ。「……何ちゅうか。言葉に出んな」。このような呼吸の合間に、患者の経験も運動の記録も語られる。「何か気恥ずかしいような試みかと今でも思う」「煮え切らない文章で申し訳ない」このような文体で運動たちは語り出され、語りおさめられる。それは集団がその新聞を『ちんちろまい』（右往左往）と名づけ、他の集団が「無農薬」でなく、「ひとつでも農薬を減らす」ことを十年も目標としてきたような、実践のスタイルの訥弁ともいうべきものと照応している。

この文体の「煮えきらなさ」とは、さまざまの生活たちのときほぐしがたくからみ合う現実の多義性、重層性の、どの部分をも切り捨て、すりぬけ、抽象することをしまいとする思想のことばだ。それは水俣の運動の文体それ自体である。

多くの試行する集団の自己紹介者たちの、故意にそっけなく事務的であるともみえる書き方。言葉がうきあがることへの敏感な恥ずかしさと、節度のようなもの。沈められ、鎮められ、静められた言葉たちの、清潔。

このような失語の向こうにもういちどどのような言葉が可能か、〈しずめられた言葉〉がもういちどどういう転身をとげることができるか。坂本輝喜の語りと、石牟礼道子の文章はその二つの異なった仕方をみせる。

坂本輝喜の饒舌がどんな幾層もの失語をふりきった饒舌であるか、どのような断念たちをのみ下した軽口であるか、だれにでもわかる。

〈お袋なンか、焼酎《さけ》飲んじゃあこたつに頭ば打っつけて、泣いておめくと。許し難ぃッ、チ。それがほとんど毎晩、めし時になると始まってナ夜中の十二時ぐらいまで、続くと。定時制学級（笑）ヨ。その時間がイヤでたまらンやったっじゃがな〉〈運動なんてサ人の心の暗い部分に一本、楔《くさび》を打ち込んでサ、それで成り立っているようなもンでしょ〉。

矛盾し重層するものを矛盾し重層するままでその都度ズバズバと言い切ってしまう。ことばは主体とか自我の一貫性といった近代性を裂開するように、その都度の言葉が射こまれる世界の文脈ともいうべきものの中へと、手放されている。

石牟礼道子の文章は、失語の海の淵《ふち》からのことづてのようだ。みえないものたちの影をみる視力のように、語られないものたちを語ることばをよびさます。〈区切られないもの〉の矛盾と多義性をじぶんの中に幾層にも響かせながら、それでも石牟礼は、あえて言い切ることもする。〈おかしくならずにいられるだろうか〉、こういう断念の一切を澄ませたうえで、そしてまた、人間の上を流れる時間の一切が砂に埋もれ〈地質学の時間のように眺められる日〉からの視線をもうひとりの自分の視線としながら、〈人間はなお荘厳である〉と、石牟礼は言う。言い切るのである。海はまだ光っていると。

岬に出る繁みのくらやみの向こうには必ずひろがっているはずの海の気配を確信するものの手つきで、人間がひとつの病をどのように〈それ以上のもの〉への出口に転回するものかを探り当てている。

白いお城と花咲く野原——幻想の相互投射性

一九八六年七月二十九日

〈むかしはるかなメルヘンの国にひとりの王子様がいました。王子様はいつも花咲く野原に寝ころんで、輝く露台のあるまっ白なお城を夢見ていました。やがて王子様は王位について白いお城に住むようになり、こんどは花咲く野原を夢見るようになりました〉

『ユリイカ』七月号の特集『民話の誕生／物語の起源を求めて』の中で今泉文子「民話のメタ・モルフォロギア」に引用されている、ブレヒトの反民話（あるいはメタ・メルヘン）である。

『白雪姫』や『ヘンゼルとグレーテル』は今日、継母の継子いじめの物語として知られている。しかしグリムが「収集」した民話自体ではどちらも実母の子殺し、子捨ての物語であり、グリムの一八一〇年初稿でもそうだった。そこでは幼い白雪姫の美しさに嫉妬する実母が、「いのししの肺や心臓を白雪姫のものと思って塩漬けにしておいしく食べ」たりしている（今泉・同論文）。

グリム兄弟のこの初稿はその後、一八五七年の「定本」に至るまで何回か書き変えられ、市民社会の「教育的配慮」に適合するものとなる。それはドイツの産業革命期であり、〈近代家族〉の形成期である（丘沢静也「ヴィルヘルム・グリムのひそかな欲望」同特集。以下すべて同特集の論文である）。

その改訂の中で子捨て、子殺し、母と子の内的な葛藤といった原的な主題はきれいに舗装され、今泉がみるように「継母＝悪」という図式に変形されることとなる。〈近代家族〉の標準型の内部の矛盾を、「継母」という原的な越境者の像（母であり／母でないもの！）に凝集して負わせることにより外化して排除すること、そのことによってモノガミー（一夫一婦制）の無矛盾性という神話を補完するという、それ自体近代社会の民話作用の一端をグリム童話は担った。

「赤ずきんちゃん」が狼の欲望をそそるのと同じくらいに、『赤ずきんちゃん』は理論家の解釈欲をそそる。それは精神分析学、ユング理論、記号論、構造主義、その他あらゆる解釈のえじきとなるのを待っているようだ。「赤ずきんちゃん」が広く愛されるのは「よい子で、しかも誘惑に弱いから」だと、ベッテルハイムは指摘している。

フロイト派のフロムやベッテルハイムによると、それは少女の成熟の物語である。赤いずきんは初潮の象徴であり割らないように持っていく瓶《かめ》は処女性であり、狼と狩人は男の、おそらく父親の二つの側面である。ユング風の神話論的な解釈では、またずきんの赤色は、太陽の象徴とされたりする（鈴木晶「赤ずきん症候群」）。

けれどペローが一七世紀末に「採集」して再話する以前、フランス、チロル、北イタリアに口承されていた原・赤ずきんの物語では、赤いずきんも瓶も狩人もなかったのであり、少女は自分の機知と勇気で人狼の手を逃れるのだ。ペロー、グリムによる再話、再再話の中で、少女は近代の小市民好みの「女の子」像に変身をとげることによって、世界中の家庭家庭で愛されるメルヘンとなる（同）。

種村季弘は小松和彦との対談「物語世界を生み出す異人たち」で、民話採集の「ハイゼンベルク効果」ともいうべきものにふれている。「理論物理学であれば不確定性原理があって、対象に接近すればその接近するエネルギーでもって対象は変形していく。その変形を計算に入れながら対象記述していく」としてこういう話をしている。グリム兄弟の民話採集には幾人かの女性の媒介者がいたが、その中にカッセルの薬屋の娘がいた。やがてグリム弟のウィルヘルムの妻となるのだが、そうなると、思春期の時に性的な幻想が活発化している時と、同じ民話でも話が違ってきたりする。

このことは本田和子が「『赤マント』の行方」で、北杜夫の『楡家の人びと』の藍子を素材に考察している、「少女性」のゆくえの物語と呼応している。

高山宏「吸血鬼ドラキュラの世紀末」が考証するストーカーの周知の作品は、「二つの世界の物語」である。ドラキュラが住むというトランシルヴァニアとは「森の彼方」の地という意味であり、ロンドンはもちろんシティとグリニッジ、つまり貨幣と時計の都、合理の首府である。この近代版の民話はむかしむかしで始まるかわりに、「ビストリッツ——五月一日、午後八時三五分ミュンヘン発なので六時四六分着のはずのところ、汽車延着」という始まり方をする。「時計の世界」からの出発と、その「狂い」の予兆。

高山がいうようにストーカーは、ニーチェとフレイザーの同時代人であると同時に、フロイトの同時代人でもあった。「フロイトの無意識とタブーの心理学の実質的な出発点に当たるのが、『ドラキュラ』上梓の一八九七年であった」。精神分析の〈理論〉自体が、「無意識」と「意識」という〈二つの世界〉の、反乱や抑圧や活性化や回収の物語である。民話の「採取」や「編集」においてばかりではなく、その「解釈」や「理論」という行為においても、民話は生成し変態しつづける。

逆に民話の「採集」以前の、グリムが野に咲く花にたとえた口承自体も、民話が民話である限りそれをどこまでさかのぼっても、〈お話についてのお話〉である。「むかし○○があったと、さ」「しあわせに暮らしたそうだ」とあからさまに語られていようといまいと、そもそも民話の話法自体が、非在の原作者ともいうべきものへと世代世代におくりかえされてゆくことによって、合わせ鏡のつくりだす無限後退の映像のような、独特の民話空間ともいうべき奥行きを効果してしまうものだ。

ブレヒトの『メルヘン』について今泉は、近代合理性の中で「骨抜きにされ、薄められた」メルヘンに対する風刺としているが、わたしはもうすこし普遍的に、前近代の野にあるという民話「自体」を含めて、メルヘン的なるもの一般のイロニーであると読みたい。あるいはむしろ〈近代〉と〈前近代〉との、幻想の相互投射性ともいうべきものへの洞察であると。

幻想の相互投射性。一方に「幻想の園」（ツァウベルガルテン）があり一方に「脱幻想化」（エントツァウベルンク）があるわけではない。トランシルヴァニアの農民たちにとってロンドンは幻想の都である。インディアンの呪師は白人の人類学者がノートに書くという行為を、「おまえの知っているただひとつの呪術」だという。

〈カッセルの薬屋の娘〉だけでなく〈ウィルヘルムの妻〉もまた幻想する。「定本」グリム童話をはじめ近代の教育化された「民話」の数々が、〈薬屋の娘〉の幻想よりも〈ウィルヘルムの妻〉たちの幻想の効果であることを、すでにみてきた。だれも幻想の外に立つことはできない。物語批判は物語の否定ではない。人間は物語の外部に立つことはないからである。どのような物語を生きるかということだけを、わたしたちは選ぶ。

ブレヒトの『メルヘン』は、ハイゼンベルク効果の発見がそうであるように、世界のあり方についての洞察である。〈白いお城〉と〈花咲く野原〉の、相対性原理。世界がメルヘン的なのだ。

「政治」と〈政治〉の間——政治を語ることば

一九八六年八月二十九日

「〈政治〉の発見」という特集を、『現代思想』八月号が組んでいる。

この雑誌が政治を主題とするという時、従来の論壇のことばとはちがった視角から、「政治」という現象を解読し透視する装置なり試行の中間報告なりを、読者は期待していいはずである。

この期待はこたえられるか？

結論をさきにいうと、個々の論考にはいくつかの共鳴し触発される論点があるが、読みおえて特集を全体としてみると、課題の核心にあったはずの何かが語られないままに終わっているという印象をわたしはうけた。

以下主としては、共鳴し触発された論考のいくつかを紹介しながら、おわりにその欠如感にもふれておきたい。

特集の全体をつらぬく方法的な主張の方向線のようなものは、扱われている主題の多様にもかかわらず、明確で一貫したもののようにみえる。一口でいえば、「政治」から〈政治〉へともいうべきものである。

冒頭の宇野邦一「一九八六年の政治ゲーム、言語ゲーム、あるいは死のメニュー」の中の整理を引用すると、「権力、国家、革命、抑圧、抵抗、暴力、権利、運動のような言葉」と結びつけられる、「政府や、法や、議会や、警察や、階級によって機能するある可視的な装置」としての「政治」。と、「私たちの身体や、言葉や、観念や、食物や、移動や、関係に網の目のようにくまなくいきわたった細かい制度の連鎖」であるような〈政治〉。——ラク＝ラバルトとナンシーが“la politique”と区別して“le politique”とよぼうとしているものもこのことと対応している。

「〈政治〉の発見」、という標題の表記の仕方は、宇野たちのいう第一項から第二項への、問題の下降を主張している。

河本英夫と田中克彦は「科学」やアカデミズムの中に、大橋洋一と今村仁司とイーグルトンは「文学」や批評の中に、宇波彰は若いサラリーマン向けの生活マニュアル誌（『Big tomorrow』）の中に、つまり「政治」でないもののいたるところに、内在する〈政治〉を解析する。それらの中に「政治」的なイデオロギー性を見いだすという仕方ではなく、「科学」や「文学」や「生活」という言説の様式の没政治性や反政治性や脱政治性それ自体のもつ、またそれをとおして効果しつづける〈政治〉を見いだすという仕方で。河本の「客観性の政治学としての科学」といういい方、田中の「学問の『内なる政治』」という表現は、科学や学問への外圧のような「政治」の問題とはまたちがった、内圧としての〈政治〉の問題の所在を明確に強調している。

多木浩二／今村仁司の対談「理性と欲望の政治学」の中で今村は、「二〇世紀の革命というのはすべて失敗だったわけで、それは『政治的なるもの』についての理解を完全に欠落させた報いではないか」と語る。このことは「政治」から〈政治〉へという問題意識の核のひとつを言い当てている。

もちろん正確な言い方を要求するなら、たとえば中国なりいずれの国なりの革命が「失敗だった」と全体的に言いきっていいいか、あるいは反対に、一九世紀以前の革命に「成功だった」ものなどがあるか、と問うこともできる。「フランス革命は成功だった」と今村がいうつもりのないことは対談からあきらかである。結局今村は、これまでのすべての革命を批判したいのではないか。このことと吉本隆明のように、「革命的であること」（という概念）自体を批判することとの間には、また位相のちがいがあるのだが。（逆にまた、「革命的であること」を批判することは、必ずしも個々の歴史上の「革命」の意味を全体的に否定するということにはならない。「革命的であること」と革命をしてしまうこととはべつのことであり、いろいろな重なり具合や離れ具合があるからである）。

　結局今村の「二〇世紀の」という言い方には意味がないのではないか。そもそも革命の「成功／失敗」を語ることに意味があるのは、どのような主体にとってだけか。といった批判をすることもできるけれども、今村がここで言いたいことの核は伝わる。たぶんこのことが、特集の主題の全体に生気を与えている初発の問題感覚のひとつでもあったと思う。

　ベンサムのいうパノプティコン（囚人一望監視装置）が、現代日本の日常性の中に、人びとの「自発的服従」を強いるみえない支配の装置として実現しているという今村／多木の指摘は、宇波による生活情報誌分析とも照応している。

　また多木／今村の「比喩の政治学」という問題、メタファーとメトニミーという比喩の二つのかたちのそれぞれの〈政治性〉について——たとえばメトニミーのもつ、解放する力と排除する力といった政治的多義性、等々——の議論の展開は、スリリングである。

「政治」の真理は〈政治〉にあること。日常的な生のあらゆるみえない関係の織り目の中に政治の真の根があるという把握の仕方に、わたしは基本的に共鳴するし、わたしじしんも、六〇年代からそのような仕事をしてきた。この特集は、このことを、さまざまな分野の中に追認し、興味深く展開している。

けれどそれでは、あの「政治」はどこへ行ったのか？　とひとはもう一度問うことができる。政府や議会やテロリズムや刑務所や財政や運動といったあの「古典的」な、けれど現在もひとびとの生をいや応なく規定している「政治」という現象は、わたしたちの〈政治〉の思想からどのように語られるのか？　総選挙や総裁選や政党の離合や運動の変質や、サミットや対外「援助」や民営化や行政改革といった「旧論壇」的な主題を、（をも、）正面から論じて脱構築してみせるなり全く新しい視角から鮮烈な光をあててみせるということがないなら、『現代思想』的な言説が「旧論壇」をのりこえたとはいえないだろう。たとえば現代の日本の「政治」の状況は、具体的に、どのような〈政治〉の積分や投射や逆立や凝固や噴き上げとして透視しうるのか？〈政治〉はどのように「政治」を生むのか？「政治」の解体しつくされる日というものがあるのか？　人間の集合にとってミニマムの解消不可能な「政治」というようなものがあるのか？　ないのか？

〈政治〉の発見は、もう古いことだ。

アドルノやホルクハイマーや、レインや、フーコーや、ボードリヤールや、ドゥルーズやガタリによって、それはわたしたちの「現代思想」の、とっくに共通の確認事項であるはずであった。この地平から再びなされる「政治」の発見、ということのほうに、政治を語る言説の前線的な課題はあるのではないか？

政治を特集するということは時代おくれのようにもみえるし時代を先取りするもののようにもみえると、今村はいう。「時代おくれ」の仕方で「政治」を語るということはこの雑誌のダンディズムが許さないわけだけれど、といって時代を先取りする仕方で「政治」を語ることは今のところだれにもできない。このことがこの特集を、時代の中にあることの追認と水平的な展開に終わらせているように思う。

近代の二つの衝迫——「ポストモダン」の逆照射

一九八六年十月三十一日

『現代詩手帖』十月号は「日本モダニズムの再検討」を特集している。

冒頭大岡信、阿部良雄、多木浩二による討議「日本モダニズムとは何か」の中で阿部は、モダニズムをある「後発的なもの、何かに追いつこうとするもの」としてとらえる。モダニズムにはある「古さ」がある。もちろんモダニズムはそれじたいとして、いつも「新しさ」を求める欲望だ。〈追いつこうとするもの〉という言い方で阿部が言い当てようとするのは、モダニズムのこの適応願望のようなものだ。

けれどこのモダニズムの「古さ」じたいが、現在のポストモダンの文脈の中で「新しい」ものだとされる。川本三郎たちが「セピア色」という形容語で語ろうとする感覚である。「セピア色」とは、写真技術のある過渡的な時代の産物だ。ある種の古き精神たちがけんめいに「新しさ」を追求してきた。この追求の全体がこんにち「古い」ものとして退色してある。けれどその退色の仕具合が現代の感覚のグルメたちにとってはなんとも「新しい」のだという、四重の屈曲がこの平面に焼き付けられているというわけだ。

多木浩二は先の討議の中で、今「モダニズム」があらためて主題化されていることじたいの意味を問い返す。「現在ポストモダンと呼ばれているもののネタを、逆に日本のモダニズム時代の中に探すという形で行われているのではないか」と。

ポストモダンはモダンを批判するものとして登場した。そのポストモダンが今モダニズムを偏愛している。そこには「モダン」という意味の、逆転がかくされている。

海野弘「日本のモダニズムふたたび」(同誌)は、ブルーノ・タウトのキッチュ論を手掛かりとして、モダニズムとポストモダンの関係に光を当てる。一九二〇、三〇年代の日本のモダニズムを、タウトは「キッチュ(いかもの、俗悪)」として激しく嫌悪した。今日八〇年代のポストモダンは、このキッチュということばを、栄光あるものとして意味転回し、この脚光の中に往年の「モダニズム」を再見している。

そしてこのような照明の構図の全景はまた反転して、〈開き直ったモダニズム〉としてのポストモダンのトポス(居場所)をも明示してしまうだろう。——ポストモダンがモダニズムの中に素材を求めるという時、モダニズムの中にポストモダンがあったのだというふうにみられるわけだが、ほんとうはポストモダンが、もうひとつのモダニズムであるからである。

だがそれにしてもポストモダンは、モダンの「後に」来るものとしてこそ自己を規定してきたはずである。モダニズムを否定しつづけるモダニズム。こういうことがどうして可能か?

もちろん一つには、そもそもモダニズムというものが、いつも自分を否定しつづけることでしか生きつづけられないという逆説がある。「モダニズムという動きはすぐに古くなり、つぎのモダニズムと替って行く。『アンチ・リテラテュール』『アンチ・テアトル』『ヌーヴェル・ヴァーグ』『ポストモダニズム』など……」(佐藤朔「モダニズム今昔」同誌)。——反・新・後・脱といった接頭辞をすげかえつづけることでしかモダンはモダンでありつづけることができない。

けれどもポストモダンがモダニズムを否定し/肯定する仕方の中には、このようなモダニズム一般の〈自己解体=延命装置〉だけに還元することのできない、〈近代〉の両義性ともいうべき実質の問題が伏在しているように思える。

このことはモダニズムとシュルレアリスムの、シュールな関係を媒介として解くことができる。

大岡・阿部は前記の討議で、モダニズムとシュルレアリスムは異質なもの、「対立するもの」であることを指摘している。シュルレアリスムは「連続性を強調する生き方」であり、モダニズムは非連続を強調する生き方であると阿部はいう。深層化する精神と表層化する精神といってもいいだろう。あるいはまた超意味化／脱意味化という仕方でいうこともできるかと思う。ところが鮎川信夫も証言しているように、日本のモダニズムの「主流はシュルレアリスム」だったのである（「ナショナリズムとモダニズムが交差する場所」同誌）。

これはどういうことだろう。

日本の「シュルレアリスム」は、モダニズムの一変種にすぎないようなものだったのか。それとも日本の「モダニズム」とは、シュルレアリスムをも包括する一般名称だったのか。

昭和のモダニズムの時代の流行歌の中に「長い髪したマルクスボーイ」という一節があるように「マルクス主義」さえ、日本では「モダニズム」の一変種だった。

マルクス主義、精神分析、実存主義、構造主義、これらの〈深層化〉する諸思想を生み出したのは、近代である。同時にこのような深層化を解体する精神として「モダニズム」や「ポストモダニズム」を生み出したのも近代である。〈モンテーニュのエセーはポストモダンだ〉とリオタールがいうように、それも近代のはじめからありつづけていた（リオタール『ポストモダン通信』管啓次郎訳、朝日出版社。今月末刊行のこの邦訳のカバー・デザインは、日本モダニズム調である!)。

モダニズム・対・モダニズム。という奇妙な事態は、深層化・対・表層化、あるいは意味化と脱意味化という、〈近代〉をその当初から貫通してきた二つの巨大な衝迫のどちらに止目して定義するかにかかる。

そのうえどんな構築も脱構築だ。マルクスボーイが銀座のカフェであそんでいたのは大石内蔵助をやっていたわけではなく、日本のモダニズムという時代の欲望の文脈の中で、「マルクス主義」もまた、まず脱構築する言説として、物語を解体する力として生きられていたからである。シュルレアリスムが「モダン」な印象を与えてしまうのは、その超意味化ともいうべき衝迫が、必然的に脱意味化を効果してしまうと同時に、またひそかに前提もしているからだ。

マルクス主義や精神分析や実存主義や構造主義、これらの構築し〈深層化〉する諸思想を否定し、あるいは「水平化」する限りにおいてポストモダンは、〈近代〉を否定するものとして現れる。けれどもそれは、〈近代〉にあらかじめ内在していたもうひとつのベクトルの方を、徹底し純化するという仕方でなされる。

「モダニズムの現代性」という主題はこのように自己転回して、現在の「ポストモダン」の位置を照射する。そしてこの転回する仕方をとおして、〈近代〉の名で語られているものの両義性をも明るみに出す。

ガラス越しの握手――関係の客観性の磁場

一九八六年十一月二十八日

『朝日ジャーナル』十一月二十日臨時増刊号は「ＡＪノンフィクション大賞」の優秀作六編をまとめて掲載している。『文藝春秋』十二月号も「大宅壮一ノンフィクション賞」を発表している。

大宅賞受賞作は杉山隆男『メディアの興亡』（文藝春秋）である。五人の選考委員がはじめから全員一致で、選考委の柳田邦男、立花隆が共に「十年に一度」の逸材であるとしている。

ＡＪ大賞の優秀作は、姜信子「ごく普通の在日韓国人――24年の総決算」、井上真「ニカラグア――小さな国のいのちの革命」、玉井道「シフトチェンジ　無手勝手」、横田一「追跡・『石垣島新空港』の正体」、近藤二郎「コルチャックの生涯」、池田直彦「イラワジ河」の六編である。（大賞は同誌連載中のふくおひろし「たった一人の革命」）。

八編の作品について少しずつ、軽快なタッチで紹介するというかたちで責務を果たそうと考えていたのだけれども、姜の記録と、これにたいする宗秋月の、万感をこめた痛烈な批評というべきコメント「若者よ、偏狭と呼ぶなかれ、わが贈る言葉を」との応酬は、ひとつひとつ解きほぐしてゆかなければならない重い思考の連鎖をわたしに強いることによって、はじめの横着な計画を砕いてしまった。

姜の自伝的記録自体はむしろ軽快なものである。重い主題もいくつかふれられているが、これらの重い主題にふれるこの三世の態度の軽快さ、のびやかさが新鮮であるような作品である。そしてこの軽快さ、のびやかさ、「素直であること」自体を問い返すというかたちで、宗秋月の重い批評は、対置されている。

姜信子は一九六一年生まれ、「新人類」とよばれる世代の在日三世である。自分は日本人でも韓国人でもない、〈新人種〉だと感覚している。コピーライター、プランナーの仕事をしながら、産休中にこの原稿を書いた。昨年大学を卒業してから、就職、結婚、出産と「人生の一大事をたて続けに経験した」。

日本人との結婚の婚姻届の手続きのわずらわしさに、はじめてこれは「国際結婚」なのだと気付かされたほど、「感覚は日本人に近くなっている」。子供のころ、おひな祭りや七五三をやらない理由として母親が、「うちは韓国人だから」といっても、「こりゃ損だな」と思う一方、「私って、外国人なんだわ、と子供っぽい喜びを感じている」。家に来る人に、タンスの引き出しから「外人登録証」をひっぱり出して「おばさん、私、外国人なんだよ。ホラ見て」という。「母が、烈火のごとく怒って外人登録証をとりあげ」、彼女をそこからつまみ出す。

大学五年目に朝鮮語を習いはじめるが、「一緒に勉強している日本人学生の方がよっぽどうまい」。英語よりもドイツ語よりもとっつきにくく感じる。けれど原付自動二輪の試験の受付で、「外人登録証」を携帯していないこと位でどなられたりして、突然屈辱と怒りの感覚に投げ返される。就職は希望していた新聞社を結局あきらめることになる。いきさつは詳記してあるが、実質的には民族差別のためである。

こういう現在の日本の社会を批判すると同時に、姜は在日韓国人社会の中での、過剰な「民族」意識にもいらだっている。「『民族』『民族の誇り』といういかにも高尚で尊く響く言葉に酔った論議が、なんと多いことか。それをどう考えようと個人の勝手ではないか。個人の思想の領域の問題ではないか」。

宗秋月はコメントの中で、こういう姜のナイーブさを批判している。「多様さを認めあえない排他意識が先の戦争であり、何故、在日があるかの自明の理でもあるのだ。在日は列島に存在する限り永劫に、その理を問い続ける存在である」。「消してならないのは、本国との同時代感なのである」と。

姜は自分を「ごく普通の在日韓国人」として書いている。宗はいやちがう、姜はめぐまれたエリートだという。姜の境遇が平均的な在日韓国人のそれでないことは、宗のいうとおりだと思う。姜が自分を「普通の」と規定するとき、そこには、「民族」とか「国籍」というものの過剰な意味の重みのようなものから自由に、ひとりの生活する人間として、のびのびと普通に生きたい、という在日の若い世代の、ねがいと主張がこめられているように思う。

わたし自身の感覚としては、「民族」というものからできるだけ自由に生きたいという姜やその同じ世代の日本人たちに、まったく共感する。――けれどこのことを、日本人であるわたしが、姜や宗にいうことはできないのである。それは資格がないからだ。「民族」から自由でありたい、というわたし自身の思想を、もしも、不当に民族性を奪われてきた人たちに向かっていうなら、それは関係の客観性の中で、意味を逆転し、日本の最も恥ずべき民族主義者の言葉と同じベクトルを持ってしまうのである。

関係の磁場がことばの意味を逆転するのだ。

〈関係の客観性〉とは、なにか抽象的な倫理ではない。たとえばそれはわたしたちの父祖が、在日韓国人、朝鮮人の父祖を連行してきた侵略者と同じ民族であるといった、歴史的・民族的な「連帯責任」によるのではない。（ある人の父親がたとえ殺人者であったとしてもその人個人とは関係のないことであり、その人が肩身の狭い思いで人生を生きる必要は全くない。父祖の罪をはっきり認めて自分はくり返さないだけでいいのだ）。問題は現在の責任である。姜信子が普通に生きたいとねがう。多くの在日外国人、少数民族が「普通に生きる」ことへの道をとざしているのは、わたしたち自身が現在織りあげている日本の社会と国家、たとえ個人的には反対であれ、少なくとも力不足のために未だ一掃することのできないでいる差別の実質のためである。それは現在わたしたちがやっていること、やっていないこと、充分やりきれていないことへの現実的な責任であって、先祖の行為への観念的な「負い目」というようなものではないのだ。

わたしやわたしより若い世代の日本人の多くは、「民族」などもういいじゃないか。個人として、人間として、生命として、宇宙の存在として、自在に生きたい、普通に生きたいとねがっている。姜もまた、自分の好きな「この一冊」として、ヘレン・ワンバッハの“LIFE BEFORE LIFE”を挙げ、この本が「偏狭な民族観など軽く吹きとばします」と言っている。けれどこの呼応する声と声とを、透明なつめたい壁がはねかえす。まっすぐに届いてほしいことばを、関係の客観性の磁場がねじまげる。七十万余の姜たちを普通に生きさせないでいる関係の実質の壁を、わたしたち自身の側から破砕しつくすことのできる日までは、素直に生き交わしたいという在日外国人たちの世代と、日本人たちの世代の思いは、ガラス戸をへだてた手と手のように、今すぐにでも届きそうにみえてたがいに届かない。

世界を荘厳する思想——明晰による救済

一九八六年十二月二十六日

今年の最終回なので、今年のはじめからの言説のいくつかを手掛かりとして、この世紀末の思想のひとつの水平線を見定めておきたいと思う。

一月の時評〈週末のような終末〉の中で、村上春樹の『世界の終りとハードボイルド・ワンダーランド』を素材に、現在の若い世代の、明るい終末の感覚のようなものを見てきた。杉浦日向子のいうように、「二十一世紀は来ますかね」という会話が、お天気の話でもするように交わされている。

人類はしぶとい動物だから二一世紀は来ると思うが、いずれにせよこの世紀末は、次の世紀が来るかという問いを、思想の内部に抱いた世紀末である。

前世紀末の思想の極北が見ていたものが〈神の死〉ということだったように、今世紀末の思想の極北が見ているものは、〈人間の死〉ということだ。

それはさしあたり具象的には、核や環境破壊の問題として現れているが、そうでない様々な仕方でも感受されていて、若い世代はこのことを日常の中で呼吸している。核や環境汚染の危機を人類がのりこえて生きるときにも、たかだか数億年ののちには、人間はあとかたもなくなっているはずだ。未来へ未来へと意味を求める思想は、終極、虚無におちるしかない。

二〇世紀末の状況はこのことを目にみえるかたちで裸出してしまっただけだ。

人類の死が存在するということ、わたしたちのような意識をおとずれる〈世界〉に終わりがあるという明晰の上に、あたらしく強い思想を開いてゆかなければならない時代の戸口に、わたしたちはいる。

共同体の人びとの生と世界は有限な環の中に自足していた。近代はこの有限を解体し欲望を無限に向けて解き放つ。貨幣という欲望がそうであるように、近代は時間や空間や価値の、無限という病に憑かれた時代だ。近代が解き放ったかにみえた無限が、ほんとうはもうひとつの有限であること。を正視するところから、近代を超える思想の問いは始まる。——しかも共同体たちがその「外部」をもったほどにも、どのような「異郷」も「都」ももつことのない、ほんとうに孤独な有限であるということを。

二月の時評〈超越を超越すること〉でふれた『へるめす』別巻のシンポジウムで、植島啓司の「サマルカンドの死神」という報告は、こういう伝説を主題としている。

ある兵士が市場で死神と会ったので、できるだけ遠く、サマルカンドまで逃げてゆくために王様の一番早い馬をほしいという。王様が王宮に死神を呼びつけて、自分の大切な部下をおどかしたことをなじると、死神は「あんなところで兵士と会うなんて、わたしもびっくりしたのです。あの兵士とは明日以降にサマルカンドで会う予定ですから」という。

わたしたちはどの方向に走っても、サマルカンドに向かっているのだ。わたしたちにできることは、サマルカンドに向かう旅路の、ひとつひとつの峯や谷、集落や市場のうちに永遠を生きることだけだ。

六月の時評〈沈められた言葉たち〉では、『思想の科学』六月臨時増刊号「水俣の現在」の中の、石牟礼道子の、〈人間はなお荘厳である〉ということばにふれた。竹内敏晴は、昨年わたしと二十時間位やった対談（「関係としての身体」未刊）のおわりに近くなって、自分の仕事の究極の方向のようなものとして、この〈荘厳〉ということをぽつりと言っている。〈荘厳する〉とは仏教のことばで、花を飾るということである。「例えばからだがね、いろんな病んでる身体だの、そこから脱出して来る身体だのいろいろあるけど、そこにからだが荘厳されて来ていると。」そういうふうに、演ずるものの身体が舞台の上で、生活するものの生が舞台の外で、「花咲けば、荘厳されればいいじゃないかと。」

日本の仏教界で日常的には、このことばは「仏」＝死者を花飾ることに使われるという。熊本の寺の一隅を仕事場としている石牟礼が、この用法をしらないはずはない。と、するとこれは相当、ものすごいことになってくる。石牟礼はどこかで〈人間〉を、もう死んだものとして感覚している。あるいは、いつ死んでもおかしくないものとして感覚している。その人間の死にぎわに添おうとしている。人間を荘厳しようとしているのである。

「人間の上を流れる時間のことも、地質学の時間のようにいつかは眺められる日が、くるのだろうか。」このように書き出されている文章のなかに、〈人間はなお荘厳である〉、という視覚は、おかれる。

石牟礼の句集『天』（福岡・天籟俳句会）が五月に刊行された。

死におくれ死におくれして彼岸花
祈るべき天と思えど天の病む
三界の火宅も秋ぞ霧の道
銀杏舞い楓舞うなり生死《しょうじ》の野
まだ来ぬ雪や　ひとり情死行
九重連山月明つれて双の蝶
樹液のぼる空の洞より蛇の虹
樹の中の鬼目を醒ませ指先に

〈三界の〉の一句だけでも充分なのだが、どのようなアンチ・ヒューマニストたちの断念よりもいっそう深い断念のはてにおかれた、荘厳、ということば。――世界の質感の粒立ちのよみがえりへの、鮮烈な知覚。

句集全体は次の句で結ばれている。

さくらさくらわが不知火《しらぬひ》はひかり凪《なぎ》
いかならむ命の色や花狂い
天日のふるえや空蟬《うつせみ》のなかの洞

荘厳、ということばはここで、「仏教的」な意味をくぐらせて幾重にも転回している。正確にいえば、「仏教的」な意味をつきぬけて、〈仏教的〉な意味の核心を再生している。それは第一に、死者たちを祀《まつ》ることばから、生者たちをも祀ることばへ転生している。第二にひとりの人間を祭ることばから、〈人間〉を祭ることばへ、人間の世界のぜんたいを祭ることばへ転開している。第三に〈荘厳する〉という行為のことばから、〈荘厳である〉という存在のことば、覚醒のことばへ転帰している。

ひとりの死者をほんとうに荘厳するとは、どういうことだろう。その死身の外面に花を飾ることでなく、その生きた人の咲かせた花に、花々の命の色に、内側から光をあてる、認識である。それは石牟礼が、その作品で、具体的に水俣の死者のひとりひとりを荘厳してきたやり方である。

このようにしてそれはそのまま、生者を荘厳する方法でもある。その生者たち自身の身体にすでに咲いている花を目覚めさせること。リアリティを点火すること。〈荘厳である〉というひとつの知覚は、死者を生きさせるただひとつの方法であることによって、また生者を生きさせるただひとつの方法である。ひとつひとつの空蟬の洞にふるえる天日のあかるさのように、それはこの個物ひしめく世界のぜんたいに、内側からいっせいに灯をともす思想だ。〈夢よりも深い覚醒〉に至る、それはひとつの明晰である。

あとがき

一九八五年、八六年の二年間、朝日新聞「論壇時評」欄に書いた文章を、ここに集めた。四八回の時評のうちで、わたしの固有の問題意識と対象がスパークするようにして書くことのできた文章だけに、目次では＊印をつけた。＊印をつけた文章だけをあつめて小さい本にすることが、わたしの夢だった。しかしその他の文章も、それぞれ異質の読者からの反響があり、現代日本の思想の鳥瞰図をつくるという作業をかねて、大体全篇を収録してある。（純粋に「時評的」なもので、再録にほとんど意味がないと思われる八篇だけをカットして、四〇篇とした。）

本書の標題は、八六年七月の時評から採った。副題もこの時の時評の副題、幻想の相互投射性、という視覚像から来ている。本書を編集する間中、八五年七月の時の標題、〈夢よりも深い覚醒へ〉の方を、全体のタイトルとするつもりでいた。その方が主題を直截に表現している。終稿を手渡す寸前に、突然、現在の標題の方に切換えた。言おうとすることは同じことだが、メタファーの具象性への、わたしの偏愛からである。

二年の間に、たくさんの未知の方々や、かねて敬愛する方々から、共感やはげましや教示のお手紙をいただいた。返信を書くという時間をこの期間にもつことができず、そのことが、気持の債務のように累積して、ほとんど限界にまで達してしまった。今ここにこの場を借りて、それらの方々の一人一人に、欠礼のおわびと、心からのお礼の気持をのべさせていただきたいと思う。

とくに二年間、毎月必ず、あるいはほとんど毎月、主題の核心にふれることばを、それぞれの生きる場所から、展開し、身体化し、輝度を増幅されたかたちでかえしてくれた、岩井努、向井美和子、谷垣恵子、小口未散の各氏には、いつも力づけられ、書くことの幸福《ブリス》を味わわせていただいた。四氏がちょうど二〇代―三〇代の、商社マン、幼稚園の絵の先生、大学の技術補佐員、出版社の編集者、という職業分布であったことは、〈普通に生活しながら、鮮烈な生の感覚をもった少数の人たちの心に深く、リアリティを点火することばを刻みたい〉というわたしの欲望と、的確に呼応していた。また毎月の初めには、東京新宿の高層ビル街の一角で、前月の時評を素材に、質疑と討論のあつまりが開かれ、多くは深更まで、時に翌朝まで、東新宿の終夜喫茶街を旋回するつむじ風のようにトーク・インが続行された。時間を経過するにつれて、言葉の内部の知識とか議論のための議論といったものがどんどん削ぎ落ちて、それぞれの生きる世界の深部を呼応することばだけが、時を惜しんで交わされはじめるということもふしぎな経験だった。

和田春樹、三輪妙子の両氏には、舞い上がりがちなわたしの思考を、きびしい現実からの批判で地につける碇の役割をしていただいた。朝日新聞で直接担当していただいた小池民男、草薙聡志、柴山哲也の三氏をはじめ、扇田昭彦、砂山清、菅原伸郎各デスクと由里幸子氏、佐竹昭美、荒垣敬両学芸部長、それから未知の整理部の方々には、筆者が自由に標記することのできる「柱見出し」を特別に設定していただいたり、本文には一言も言及しないのに傍証のためだけに必要な書物やデータを幾冊も遠路届けていただいたり、感謝のことばを記しきれないほどの御厚情と御配慮とをいただいた。また今回書物とするにあたって、出版局の担当の方が、石牟礼道子氏の『樹の中の鬼』、『陽のかなしみ』等をつくられた赤藤了勇氏であったことは、とくにうれしいことだった。最後に、『気流の鳴る音』『現代社会の存立構造』の時のケースをデザインしていただいた元筑摩書房の加藤光太郎氏には、今回もわたしの方からおねがいしてカバーを装幀していただいた。

「あとがき」といっても謝辞ばかりになってしまった。今わたしが書きたいのは、そのことだけだ。

一九八七年二月三日

見田宗介

解説　ほんとうの〈明晰〉がここにはある

大澤真幸

1　アクチュアルにして普遍的

私の師である見田宗介は、一九八五年の初めから八六年の終わりまでの二年間、朝日新聞の論壇時評を担当した。当時、私は、見田を指導教員とする社会学専攻の大学院生だったのだが、毎月の終わりに、二日連続で夕刊に掲載されるわが師の書いた時評を読むのが、楽しみでしかたがなかった。そこには真の〈明晰〉があったからだ(1)。

読むといつもこう思ったものである。「私がずっと感じていた違和や困難の正体はこれだったのか！」と。生きていて、あるいはさまざまな社会問題にたちあったり、それらに巻き込まれたりして、私たちはたえず何かがおかしい、と感じる。だが、何がおかしいのか、どうしてうまくいかないのか、じぶんでは言語化できない。じぶんができないだけではなく、他の人の論文や本を読んでも、ほんとうには納得できないことが多い。だが、見田宗介の論壇時評の中では、「そうだったのか！」「まさにこれに違いない！」とほんとうに得心がゆく分析や解釈に出会うことができた。それだけではない。その困難をのりこえることはできるのか、その困難から脱出することができるのか。できるかもしれないという指針、できるにちがいないという希望を、その時評は与えてくれた。「一読三嘆」という語は、まさにこのような文章のためにある。

このように感じたのは私だけではない。当時、この時評は画期的なものとされ、大きな反響を呼んだ。その証拠に、論壇時評の連載が終わったすぐ後、つまりその四ヶ月後に、四八回の時評の大半（その中の四〇篇）を収めた単行本『白いお城と花咲く野原――現代日本の思想の全景』が、朝日新聞社から出版された。本書は、その単行本の復刊である。

普通は、論壇時評の欄に書かれた文章を集めて単行本にすることはない。時評は、その名の通り、主にその時にだけ、その月《つき》にだけ読む価値があるものだからだ。年単位で読む価値を維持し続けるものでなくては、本にはならない。だから、本書のもとになった単行本は、まことに異例のものだったのである。さらに付け加えておけば、本書収録の文章の多くが（二八篇）、一〇年後の一九九五年にあらためて『現代日本の感覚と思想』（講談社学術文庫）に採録されて公表され、後に（二〇一二年）『定本見田宗介著作集Ⅴ』（岩波書店）に収められた。

何が傑出していたのだろうか。通常の論壇時評ではとりあげられることがない素材、いわゆる論壇誌（『世界』『中央公論』など）以外の雑誌、小説、ノンフィクション、詩などをとりあげ論じた斬新さは、当時の読者を驚かせたのだが、重要なのは、そうした斬新な試みによって何がなされたか、である。このことは、今し方単行本化の意義との関係で示唆した通りである。

要するに、この論壇時評では、通常だったら両立しがたい二つのことが同時になしとげられているのだ。時評の使命は、アクチュアルで緊急性のある問題に応ずることである。今起きたばかりのこと、起きつつあることについて論じた論文や評論を分析し、ときにはそれらにどう対応するかまでも提案すること。しかし同時に、見田宗介のこの論壇時評は、そのときの「今ここ」に限定されない普遍性を感じさせるのだ。普通は、アクチュアルな具体性と普遍的な意味とは背反的な関係にあり、一方をとると他方が犠牲になる。しかし本書に収録された文章では、これらが両立している──のみならずむしろ、相互に強め合ってさえいる。言及されている具体的なことがらのアクチュアリティが強調されるほど、その普遍的な意味がより鮮明になる、といった具合に、である。

それにしても、書かれてから三五年以上が経過した現在、これを読み返しながら、私はあらためて驚嘆している。あのとき、一九八〇年代の半ばのあのとき、この時評を読んだ私（たち）は「これはすごい」と感動したわけだが、それでさえも、今振り返ってみると過小評価だったのだ。「今読んでも価値がある」という言い方は月並みの表現だが、考えてみるとよい。この段階で見田は──というか当時の人々は全員──、後に三・一一の津波と原発事故や、リーマンショックや、九・一一の同時多発テロや、オウム真理教事件が起きることを知らないのだ。インターネットなるものが普及することになるのも知らない。それどころか、この時評が書かれたときには、まだ冷戦が終わっていない。時評が書かれてから数年後に冷戦が事実上終結し、東ヨーロッパの社会主義体制も、そしてソビエト連邦という国さえも消滅した（ついでに付け加えておけば、昭和も終わり、また日本の経済成長も止まった)。

これだけ重要なことが後でたくさん起きてしまえば、「時評」として書かれた文章は古びてしまう……はずだが、本書に収録されている見田宗介の時評に関しては、まったくそんなことはないのだ！　歴史的文章として価値がある、と言っているのではない。「あの頃、あんなことがあった」「あのときには、そんなふうに考えたのか」と振り返ることができるところがよい、と私は言っているのではない。あのとき、まさに時評というかたちで分析され提案されたことが、現在の私たちの苦境を理解する上で、あるいはそれをのりこえるための方法を考える上で、未だに妥当するのである！　この時評がこれほどまでに圧倒的に永く命を維持し続けられているのはどうしてなのか。

2　近代という問題

その理由は、厳密には、一篇ごと、話題ごとにさまざまなので、すべてを説明し尽くすことはできない。ここでは、読書の基本的な指針につながりうることについてだけ、大筋を述べておこう。

個々の時評は、いうまでもなく、主としてその月に発表された論文や評論等の含意を読み解くというかたちで書かれているのだが、見田は、そこで提起されている諸問題を、そのときどきの社会情勢と結びつけているだけではなく、それらを規定している深部の社会変動と関連づけることで分析している。深部の社会変動とは、「近代（化）」のことである。さまざまな現象やことがらが、私たちの現在を「近代」として特徴づけることになる社会変動や社会変容の現れであることが説得的に提示される。
近代は、人間にとって、巨大な解放の過程である。しかし、その解放自体が、もうひとつの困難や桎梏として、あるいは不幸の原因として現れてくる。そのような意味での近代の問題として、本書が特に重視していることは、私の見るところ二つある。

第一は、エゴイズムの問題、あるいは解放された個人の間の関係の相克性という問題だ。たとえば、学校教育について論じた「**自由という名の非自由**」の章。個人の自由の尊重は、近代の最大の成果だが、その自由が結局「自由競争」と同一視されてしまっている。このことが、小学生を苦しめ、自殺の原因にすらなっている、とこの章では指摘される。自由は不自由へと反転している。「競争を強いられるほどに過酷な不自由はない」からである。

〈私〉という現象について論じた、一九八五年一〇月に書かれた二篇は、近代的自我とそのエゴイズムについて、理論的な密度の高い議論を展開している。「**近代を駆けぬける身体**」では、高橋康也の「ハムレット的身体」を論評しながら、ハムレットには、「精神」こそが〈私〉であって、「身体」はその所有物であるというデカルト的な身体図式の萌芽が見られる――がそれはあくまで「萌芽」であり、ハムレットは主として前近代の身体感覚を生きているということを確認する。ハムレットが示す近代的自我の感覚が、一時的な逸脱のようにしか現れない。どうしてなのかと言うと、その身体疎外が、状況的な居心地悪さによるものでしかないからである。が、ここから驚くべき洞察が導かれる。それならば、ハムレットが置かれた〈関係の交錯〉が強いる居心地の悪さが、原理として一般化し常態化したときに出現するのが〈近代社会〉なのではあるまいか、と。

続く「**欲望する身体の矛盾**」は、主に脳死や臓器移植についての当時の論争を紹介しながら、諸個人の欲望の間の葛藤・矛盾という問題に関して、これを克服する可能性を暗示している。近代の自由の理念は、諸個人の欲望の追求を許すが、複数の欲望は必ずしも両立できない。つまり欲望の間の関係は、一般に相克的である。二つの生きたい欲望がせめぎ合う臓器移植の局面では、それが究極の緊張度にまで高まる。欲望の間の相克性は、近代社会が解決できない困難のように思える。

だが、欲望の矛盾は矛盾であるがままに、相克性から相乗性に転回することが可能だ、と見田は述べる。たとえば生きることを欲望する動物（人間）が、その欲望をもちつつ、自由意思によってじぶんの臓器を他者に提供したとしたらどうか。そのようにして「生きた」心臓をいただいた者はなおのこと、余分に生きられる時間を、一層深く生きることができるだろう。このように、執着から解放された行動（執着なしに欲望する存在）は、他者を執着から解き放つ。つまり解放の連鎖が生ずる。これが相乗性の一例である。さらに、相克性から相乗性への転回という原理が、当時の西独ヴァイツゼッカー大統領の、戦争犠牲者の慰霊の演説でも働いている、ということが示唆される。

ここに収録された時評が繰り返し主題化している、近代社会の第二の問題は、〈人間の死〉ということである。一九世紀末の思想が極北に見出したのは〈神の死〉であった。二〇世紀の思想が極北に見るのは――見田によれば――、その発展形ともいうべき〈人間の死〉だった（「**世界を荘厳する思想**」）。二〇世紀の後半は、人類がはじめて、人類自身も死にうるということをリアルに自覚し、その事実を、思想を構成する積極的な契機とした時代である。

このことはさしあたって具体的には、核や環境破壊の問題というかたちをとる。人類の早すぎる死や地球生態系の破局をどのようにして回避するのか。本書に収録された時評にも、この主題を扱った文章はたくさんある。「**現代の死と性と生**」「**ピラミッドと菩提樹**」「**地球生命圏の経済学**」「**抽象化された生命**」「**非情報化／超情報化**」「**沈められた言葉たち**」等。

〈人間の死〉は、「人間」という観念の至上性――つまり近代的な「人間主義」――に対して疑問符が付せられる、ということでもある。こうしたことは、二〇世紀の後半においては、レヴィ＝ストロースやフーコーやアリエス等によって、学問的・思想的に唱えられたわけだが、「**草たちの静かな祭り**」では、障害者問題の総合誌を引きながら、医療や福祉の現場では、観念的にではなく実践的・具体的に、人は「近代の人間主義の限界線にふれる問題と格闘している」ということが示される。この回はこの後、禁欲的にではなく、逆に楽しみながら生活水準を下げてゆくことで、原発や環境の問題をのりこえることができるはずだと提案し、さらに「重症心身障害児」たちのびわ湖一周歩行の記録とそれに付せられた詩を引きながら、洞察に満ちた結論へと私たちを導く。「人間を大切にするということは、人間だけを大切にするということを越える思想によってしか、支えられない」。人間主義は、人間主義を越えることで真に成就される。

〈人間の死〉という主題に関しては、その死をいかにして回避するのか、という問いだけがあるわけではない。本書では、実は、もっとタフな問いも提起されている。人類もまたいずれは滅びる。

人類の死は不可避である。真に明晰な認識は、このことを事実として受け入れざるをえない。〈終わり〉あるいは〈死〉を明視した上でもなお、私たちの生を支える強力な思想は可能なのか。最後に〈死〉という虚無があるのだとすれば、私たちは何のために生きるのか。ニヒリズムは克服可能なのか。このことが、本書の中でも最も難解な最後の章「**世界を荘厳する思想**」で問われているのだが、それについてはあとで解説しよう。

3　近代に内在する転回

ここに収録された時評が、今なおまったく衰えることなく、活きいきとした論点を提供できているのは、〈近代ののりこえ〉は（いかにして）可能かという問いの深度にまで遡りつつ、さまざまなアクチュアルな課題を考察しているからだ。だが、近代という社会現象には、一筋縄ではいかない屈折が孕まれている。見田宗介は、二年間の時評の全体を通じて、くりかえしこの屈折と闘っていた。どういうことか、解説しよう。

この時評が書かれた八〇年代半ばは、近代が転換期の中にあるということが明確になった時代でもある。「ポストモダン」と呼ばれるフェーズにすでに入っていたのだ。ポストモダンとは何であろうか。たとえば、論壇時評の連載の第一回にあたる最初の章「**現代社会の自己表現**」でいきなり、論壇時評の自己否定ともとられかねないことが宣言される。すでに「論壇」なるものは解体している、と。現代社会の自己表現を、「純評論」の内にだけ求めることは、もはや意味をなさない、と。

はっきり書いてはいないが、論壇が解体したこともポストモダン化のひとつの断面である。

ではあらためて問おう。ポストモダンとは何であろうか。本書には明示的な答えは書かれていない。本書のさまざまな箇所にちりばめられていることがらを総合すれば、次のように言うことができるだろう。私たちは言葉（象徴）を媒介にして世界を認識している。つまり私たちが直接的に見ているのは言語的に構築された一種の虚構である。虚構の向こう側には、言葉がそれの表現になっているところの〈意味〉〈レアリティ〉〈自然〉〈存在〉等がある……とするのが本来の前提である。それに対して、ポストモダンとは、虚構のかなたにあるとされてきた、〈意味〉等の実在の系列を解体し、そんなものは存在しないのだとする認識が蔓延し、定着する時代である。

「**離陸の思想と着陸の思想**」と題された時評は、「ポストモダン」という語を用いてはいないが、この点を端的に示している。この章は、結論として、二つの自己解放の方向があるということを導く。「虚構のかなたに自然性の〈真実〉などは存在しないのだという『現代哲学』の認識に立って、虚構をみずからの存在の技法とするか」。それとは対照的に「虚構のかなたに自然性の〈真実〉が存在するのだという、時代をこえた生活者の直感に立って、シンプルな自然性の大地に根ざすことをめざすか」。前者が離陸の思想、後者が着陸の思想。離陸の思想がポストモダン的なベクトルをもつ思想である。ただし、この二つの異質性に関して、見田が「当面は」という留保をつけていることに注意しておく必要がある。

ポストモダン的な思潮がもつ解放の力と、それが逆説的に束縛や不自由へと転化していくメカニズムについては、本書に収録された時評の中で繰り返し論じられている。たとえば「**『新しさ』からの解放**」の章。伝統の地盤から離陸したとき、人間は、ひとつの解放を手に入れた。しかし、つねにより「新しいもの」でありつづけなくてはならない――着陸することなく離陸を繰り返さなくてはならない――ということが強迫観念にまでなると、それはもうひとつの不自由になる。真の巨大な自由を手に入れるためには、「新しさ」への駆り立てから解放されなくてはならない、とされる。

「新しさ」は時間軸における表現だが、似た問題を、空間の軸に即して展開しているのが、「**強いられた〈旅〉**」の章である。当時の若い世代の思想家たちが、「風」への憧れを語り、「旅」について論じていることに注目し、次のように論じられる。彼らは、じぶんたちが今いる「世界」（言葉が構築する虚構の世界）のウソくささを直覚している。だから、その外部への旅に出る。が、彼らには「どのようなレアリティへの記憶も断たれて」いるので、その旅はどこにも行き着くことができず、「ただ『外部へ』外部へと向かう抽象化された思考の永劫の渇きのようにかけめぐる」旅になってしまう。

ポストモダンの脱意味化の感覚を明確に抉り出しているのが、「**週末のような終末**」の章である。世界や人類の終わりは、先に述べたように、近代の最も重い主題である。その終末を、週末のようなノリで語る世代が登場してきた。この章では、村上春樹の長篇小説『世界の終りとハードボイルド・ワンダーランド』が論材となっている。この小説の中に登場する「世界の終り」という閉じられた街で、主人公の「僕」は、「影」（自我の実質のようなもの）から切り離されて暮らしている。「僕」の「影」の方は、「私は私である」という空虚な自同律が支配するこの街を不快に感じて――つまり埴谷雄高の感覚を継承していて――、この街から脱出を図る。しかし、「僕」は土壇場で一緒に脱出することを拒否する。「僕」には逆に、自同律の空虚は快なのである。

モダン（近代）とポストモダンの関係はどうなっているのか。このことが主題になっているのが、「**近代の二つの衝迫**」という章である。ここでは、建築や芸術をめぐる討議や論考が読解の対象となっているのだが、結論だけここで引いておこう。「構築し〈深層化〉する諸思想を否定し、あるいは『水平化』する限りにおいてポストモダンは、〈近代〉を否定するものとして現れる」。とひとまずポストモダンの近代に対する否定を確認するが、これはまだ浅い見方である。「けれどもそれは、〈近代〉にあらかじめ内在して**い**たもうひとつのベクトルの方を、徹底し純化するという仕方でなされる」。〈近代〉には、もともと二つの巨大な衝迫が内在している。深層化（意味化）・対・表層化（脱意味化）。モダニズムを否定しつづけるモダニズムとしてのポストモダンは、後者の衝迫の露出であって、それ自体〈近代〉のひとつの様相である。

それゆえ、〈近代ののりこえ〉という問題は、近代がポストモダン的な側面（脱意味化の衝迫）をも内在させていたことを考慮に入れると、ますます困難な課題であることが分かってくる。近代を否定する運動もまた、近代の困難の内側にあるからだ。たとえば、脱意味化の衝迫は、諸個人を、それぞれが執着してきた理想やそれぞれが信ずるイデオロギーから解放し、利己主義者たちの間の相克的な関係（葛藤や競争）を解消するかに見える。が、そうではない。実際には、人は脱意味化自体に強迫的にこだわらずにはいられず、それがまた相克性の原因ともなる。〈意味〉をシニカルに相対化しても、〈近代〉を脱出したことにはならない。それは〈近代〉に内在するもう一つのやり方である。

4　夢よりも深い覚醒へ

ならばどうすればよいのか。**「夢よりも深い覚醒へ」**。これが回答である。言語的に閉じられた虚構の世界（夢）から脱出し、存在の〈真実〉へとしっかりと着地すること。しかし、これは、夢をただ捨てるということではない。表題が示しているように、覚醒は、「夢よりも深い」というかたちでなされなくてはならない。どういうことか。

「夢よりも深い覚醒へ」では、見田は主として竹田青嗣の評論を読解しつつ考察している。たとえば竹田はその井上陽水論で、次のように書く。人間は挫折をとおして、憧憬や理想を奥歯で噛み殺してリアリストになるのが普通だが（あるいはもっと強くこう言ってもよいかもしれないと私は思う……憧憬や理想を捨てられない人を嘲笑するシニシズムに陥るのが普通だが）、陽水の場合はそうではなかった。「陽水にもその痛恨が滲みなかったはずがないが、彼は自分の中のリアリストの方を噛み殺したのだ」。ここで夢は維持されている。ただし、その夢に感動や魅力を与えているリアリティの裏打ちのもとでこそ維持されるのだ。〈あさき夢みし　酔ひもせず〉である。口惜しさとともに到来した覚醒状態の中で、夢をみるのだ。

　見田は、般若心経の語を使って、色即是空ではなく空即是色が、私たちの時代の課題だ、と述べる。「色（リアリティ）」は言葉の作用にもとづく虚構にすぎず、本質のない「空」であるという認識は、ポストモダンの思想と親和性が高い。しかし、重要なのは、「空」の方から、リアルな〈真実〉に根をもつ「色」を立ち上げることである。

「夢よりも深い覚醒へ」の趣旨を誤解せずに受け取るためには、これを、本書のタイトルにもなっている「**白いお城と花咲く野原**」の章と併せて読むのがよいかもしれない。ここで主題になっているのは、〈近代〉と〈前近代〉との間にある、「幻想の相互投射」のメカニズムである。トランシルヴァニアの農民たち（前近代）は、ロンドン（近代）を、自らが投射した幻想の枠組みを通してしか見ることができない。ロンドンの市民がトランシルヴァニアを見るときも同じである。要するに、誰も幻想（夢）の外に立つことはできない。どのような物語（夢）を生きるか、ということだけが重要である。夢からの覚醒は、夢の中から、夢を通り過ぎるようにしてしかなしとげられない。

　だが、いずれかの物語、いずれかの夢を生きるに値するものとして選ぶためには、物語や夢を否定するだけではダメである。どの夢、どの物語が「ほんとう」であり、〈真実〉であるのか。夢を肯定する根拠を、物語や夢の外部にもたなくてはならない。本書に収録された時評の多くは、その根拠を探る歩みである……と読むことができる。私の読解では、そのような肯定性の原理として、全時評を通じて、二つのものが見出されている。二つは、後で述べるように、完全には独立していないのだが、さしあたっては分けておいた方がわかりやすい。

5　交響する関係——特異なものたちのあいだの

第一の根拠は、ある種の〈関係性〉なのだが、それを、〈特異なものたちのあいだの交響する関係〉と呼んでおこう。それがどのようなものであるかは、先に「**欲望する身体の矛盾**」の章を解説する中で、「相克性の相乗性への転回」として示唆してはあるのだが、ここでは、この概念の広がりを理解してもらうために、別の章を迂回路としてみよう。

まず「**井の中の蛙の解放**」。この表題は、吉本隆明の一九六四年の評論『ナショナリズム』から来ている。この中で吉本はこう宣言している。「井の中の蛙は、井の外に虚像をもつかぎりは、井の中にあるが、井の外に虚像をもたなければ、井の中にあること自体が、井の外とつながっている、という方法を択びたいとおもう」と。[2] ここで「井の中の蛙」というのは、日本の国内にいて、そこでの具象的な生活実感の中で生きている大衆のことである。井の外に虚像をもつとは、たとえば外来の○○主義というような思想をお勉強して、じぶんのことを「無知な大衆」よりも偉いと感じている知識人や指導者のあり方だ。そのような思想は、日本の大衆の実態に根をもたない虚像であって、じぶんたちの社会の正しい理解には役立たない。井の外に虚像をもつと、井の外の広い世界（大海）に出たような気分になるが、吉本によれば、それこそむしろ井の中にただ留まることである。逆に井の外には決して虚像をもたず、井の中の蛙としての実感を信じ、それにしたがって探究することが、井の外へとつながるはずだ。それが吉本の確信であった。

この宣言には、吉本がこれを述べた時点（一九六四年）では深い真実があった。しかし、現代（一九八五年）の私たちにとってはどうなのか、と見田は問う。「現代日本という井の中の蛙は、じぶんの生活の利害と感覚とそのさし示す『倫理』意識の方向線をどこまで掘り進んでいっても、……そのまま井の外の世界についての、鈍感で傲岸な虚像を形成してしまうという奇妙な位置に押し上げられている」。もはや、井の中をいくら掘り進んでも、井の外にはつながらない。吉本が言ったことが成り立たなくなったのは、吉本の考えが足りなかったからではなく、「関係の絶対性の問題」だ、と見田は言う。全地球規模の関係のネットワークの中で現代日本が置かれている場所が強いる、視野狭窄のようなものが原因である。

似た問題は、「**世界が手放される時**」でもう一度、論じられる。こちらでは、戦後四〇年の時点でなされた座談会「戦後思想と天皇制」での竹田青嗣の発言が引かれている。竹田によれば、あらゆる虚飾を排した、戦後理念の最後の核は「ぜんぜん無名の民衆として、自分が世界の理想に対して、自分の生き方をどれだけ投げ出すことができるか」という生き方＝社会批判のパトスの形にある。これは、無名の民衆のひとりとしてじぶんが感じ、考えたことをつきつめていけば、世界の民衆の、生きがたさにとって有意味な思想が導き出されるという確信、要するにじぶんのあり方と普遍性とを結ぶ道があるという確信である。

が、竹田が言いたいことはその先で、戦後思想の核にあったこの感触が、ある時地崩れにさらされた、ということにある。つまり、じぶんたちを世界の民衆へとつないでいた道を失い、「世界に対する理想が生じないような人間」になっている、と。見田は、竹田の発言をこのように読み取る。この竹田が感じた「地崩れ」も、関係の絶対性の問題である。

　この閉塞を打破するためには、〈関係の思想〉が必要になる。その答えに近いことが、「**差異の銀河へ**」で論じられている。この章では、見田は、国際化には二つの対照的な仕方があるとする加藤典洋の議論に触発されながら、「近代」をどうのりこえるかという問題に応ずる社会構想の骨格のようなものを提示している。「近代」市民社会（ゲゼルシャフト）は、〈共通のもの〉を〈標準のもの〉（規範性をもったもの）に転化することをとおして、〈土着のもの〉を解体し風化してきた。これを批判する者は、一般に、〈共通のもの〉を断じてもつまいと、ローカルな共同体（ゲマインシャフト）の閉鎖性にもどろうとする。が、このやり方は、「近代」の普遍化する力のまえに必ず敗北する……と見田は書く。実際、歴史が示していることもその通りだ。

　ならば、どうすればよいのか。近代をのりこえるには、どうしたらよいのか。文化と文化の間、個人と個人の間、あるいは人間と他の存在の間、どの水準であれ、各々に特異なもののその特異性を決して消すことなく、特異なままに「きわだたせ交響するという仕方で、共通の〈ことば〉を見いだすことができるか」。均質化を規範的に強いる標準性ではなく、特異なものの特異性を消すことなく共存することをゆるす共通性を見いだすことができるか。見田によれば、近代をのりこえるということは、この課題をクリアできるかにかかっている。

そしてこの課題を克服したときに見いだされているはずの〈特異なものたちのあいだの交響する関係〉こそが、「夢よりも深い覚醒」を支えるポジティヴな根拠のひとつである。

6　身体へ、そして存在の地へ

〈交響する関係〉の原基とは何か。それは、身体と身体の関係、間身体であろう。間身体の特権的な領域として家族がある。「**間身体としての家族**」は、フェミニズム、性、家族についての当時の議論について論じている。ここで、「家族神話」を主題とする別役実との対談の中で、山崎哲が、竹内敏晴のレッスンにふれながら、現代の青年たちの肉体について語ったことが紹介されている。彼らの肉体は、「指示を待っている肉体」になっている、と。見田はこれを、「意味という病を病みたがっている**身体**」と見なすべきだと書いたあと、さらに次のように付け加える。七〇年代のラディカリズムが、「意味という病を病みきった者の栄光と悲惨であった」（悲惨の極限に「連合赤軍事件」がある）のに対して、「八〇年代の身体は、意味という病さえ病むことのできない空虚のなかにいる」（ポストモダンの脱意味化の衝迫）。

フェミニストは、〈実感〉を疑え、と主張する。しかし、山崎や別役が見たのは、そもそも、若者たちが〈実感〉を十分に信じられなくなっている、ということだ。〈実感〉を手放した身体は、〈観念〉という病を自らに呼び寄せてしまう。だから〈実感〉を手放してはならない。それでも、みずからの〈実感〉を相対化できればよいのだ。しかし、〈実感〉を信じつつ相対化することなど可能なのか。可能だと見田は言う。自己の実感だけではなく他者の実感をも信ずればよいのだ。そして、自己と他者の内部のたがいに矛盾する実感たちを、矛盾をたしかめながら積分すればよい。これは、〈それぞれに特異なものたちのあいだの交響する関係〉が単一の身体の上に再現された状態だと言ってよいだろう。

身体への着眼は、「**沈められた言葉たち**」の章へと私たちを導くことになる。一九八六年は、水俣病の「公式確認三〇年」にあたる。この時評は主として、公式確認三〇年後の「水俣の現在」を特集している『思想の科学』について論じている。この中に、水俣病の運動の担い手たちの、「どもる文体」で語る身体が登場する。彼らの文体は、なめらかではない。ぎこちなく、煮えきらない。ときにそっけなく故意に事務的で、言葉たちは「沈められ、鎮められ、静められ」ている。どうしてそうなるのか。「さまざまの生活たちのときほぐしがたくからみ合う現実の多義性、重層性の、どの部分をも切り捨て、すりぬけ、抽象することをしまい」としているからである。〈しずめられた言葉〉は、多義性をもって交錯する実感たちを裏切るまいとしたことの結果である。

この〈しずめられた言葉〉がもういちど転身をとげ、言葉に回帰してきたとき、驚くべきことが起きる。その二つの実例が紹介されている。ひとつは、坂本輝喜という患者の饒舌である。矛盾し重層するものをそのままその都度ズバズバと言い切ってしまうそのことばは、主体とか自我の一貫性という、近代の基本前提を裂開する。このように見田は見る。

もうひとつの実例は、石牟礼道子の文章である。石牟礼は、「〈区切られないもの〉の矛盾と多義性をじぶんの中に幾層にも響かせながら……あえて言い切ることもする」。語りえないものについて語る。いや語りえないことだからこそ語らなくてはならない。そんな不可能が可能なのは、石牟礼が独特の視線をわがものとしているからだ。「人間の上を流れる時間の一切が砂に埋もれ〈地質学の時間のように眺められる日〉からの視線をもうひとりの自分の視線としながら、〈人間はなお荘厳である〉と、石牟礼は」言い切る。

水俣の身体を通じて、二つのことが起きている。まず、言葉はしずめられ、失語に近い状態にまで還元される（色即是空）。その上で、たとえば石牟礼道子の文章を通じて、言葉が蘇る（空即是色）。この二つの運動は、「人間がひとつの病をどのように〈それ以上のもの〉への出口に転回するものかを探り当てている」。〈それ以上のもの〉とは何であろうか。見田は沈黙しているのだが、危険を冒してあえて言うならば、身体をその内に包摂している〈自然（性）〉であり、〈存在の地〉だということになろう。この〈自然（性）〉こそは、「夢よりも深い覚醒」を支える、第二の根拠である。

7　人間はなお荘厳である

〈存在の地〉であるところの〈自然（性）〉はどのように見いだされるのか。それは、近代科学の対象としての「自然」とは明らかに異なっている。この問いに関わっているのが「**超越を超越すること**」である。たとえば、ダンテの『神曲』にはこんな場面がある。天上界近く、現れたベアトリーチェがダンテをなじるのだ。「私が肉体を去って霊界に昇り、美も徳も加わったのに、あなたはなぜ他の女を愛したのか」と。ここで、肉体を離脱し天上界に属する存在は正しく、美しく、そこから見た地上や肉体は穢れている。しかし、人類は今や、じっさいに天に昇って、そこには天国がないことを実感している。その代わり、宇宙飛行士は視線を折り返し、地上こそ美しいということを教えてくれる。

こうしたことを確認したあと、見田は次のように論を進める。かつて宗教の課題は、〈超越〉にあった。しかし今、私たちが求めているのは、地上に、つまり自然に、〈内在〉させる力をもつ思想なのだ、と。その〈内在〉する視点そのものに対して、〈自然〉は、「新鮮な奇跡の場所」として現れる。ここで、少しばかり繊細に事態を見なくてはならない。この〈内在〉は、単純な内在ではなく、超越に媒介されているのである。超越そのものを超越するというかたちで、〈内在〉する力は得られている。

これと同じ論理の構成は、本書に収録された時評の中で、何回か繰り返される。たとえば、「**差異の銀河へ**」で提起された、近代を超える社会の構想。近代の基本的な設定では、「標準」を代表する市民社会が「普遍」に、そしてローカルな共同体が「特殊」に対応している。しかし、個々の共同体や、諸個人、あるいはその他の多様な存在者たちの〈特異性〉が、市民社会の「普遍性」を超える〈普遍性〉となりえたとき、近代を真にのりこえた社会が実現する。あるいは、「**草たちの静かな祭り**」で述べられたのは、人間主義の限界を超えるというかたちで真の人間主義（人間が大切だという思想）が実現するという見方であった。

　このような論理の究極型は、本書の最終章にあたる「**世界を荘厳する思想**」で導入される、もうひとつの有限――最初の有限を超える無限をさらに超える有限――を正視する思想である。もともと共同体の人びとの生と世界は有限な環の中に自足していた。この有限を解体し欲望を無限に向けて解き放ったのが近代である。貨幣への欲望が典型であり、また時間や空間に関しても近代人は無限であることを欲する。近代とは無限という病に憑かれた時代である。しかし、人類にせよ、〈世界〉にせよ、いずれは終わりを迎え、死ぬことになる。この明晰が意味していることは、近代が無限として見ていたことも、ほんとうはもうひとつの有限だということだ。

　だが、ここでひとつの思想的な課題と対決しなくてはならない。近代が「無限」に執着したのは、ニヒリズムから逃れるためである。人類が死ぬのだとすれば、私たちは何のために生きているのか。最後は死（無）に至るのだとすれば、私たちの思想や実践は何のためのものなのか。このような問題を避けるためには、死や終わりは永遠にやってこないという欺瞞を必要とする。そうした欺瞞を拒否し、人類や世界の有限性を明視したうえで、なおニヒリズムを克服することはできるのか。

　できる、というのが見田宗介の答えである。そのことは、〈人間はなお荘厳である〉という石牟礼道子のことばの解釈を媒介にして示唆される。〈荘厳〉ということばの仏教的な原義を考慮に入れると、このことばを発しているとき、石牟礼は、〈人間〉をすでに「死んだものとして感覚している」ことがわかる。あるいは少なくとも、〈人間〉を、「いつ死んでもおかしくないものとして」

見ている。(3) 石牟礼は、〈人間〉の有限性ということを前提にしているのだ。しかし、石牟礼の〈人間はなお荘厳である〉は、生者たちを（も）祀り、祝福するものだ。生は虚しく、無意味なものだなどという感覚がここには微塵もない。このことばを支えているのは、〈人間〉の有限性を自覚しつつ、生を肯定する思想である。

見田によれば、死者たちを祀ることばから、生者たちをも祀ることばへ転生しているというだけではなく、石牟礼の「荘厳」には、ほかに二つの転回が連動している。ひとりの人間を祀ることばから、〈人間〉〔人間の世界のぜんたい〕を祀ることばへの転開、行為のことば〈荘厳する〉から存在のことば〈荘厳である〉への転帰。

このように解釈できるのだとすれば、私の考えでは、石牟礼道子のことばは、本書の重要な主張を圧縮して表現しているとも読むことができる。前者の転開からは、〈特異なものたちのあいだの交響する関係を通じた普遍的な共存〉への暗示を、後者の転帰からは、〈存在の地〉への覚醒を、引き出すことができるだろう。ゆえに、本書は次の一文で閉じられる。〈夢よりも深い覚醒〉に至る、それはひとつの明晰である。

＊＊＊

これ以上の解説は蛇足だろう。いや、ここまでの解説でさえもすでに蛇足だったかもしれない。だがそれでも、この解説では言及できなかった章もたくさんある。また、とりあげた章にしても、解説したのはごく一部の論点だけである。冒頭で述べたことを繰り返すが、そうした部分も含めて、見田宗介の一九八五〜一九八六年にかけての論壇時評は圧倒的であり、おもしろい。当時への時代的な関心がなくても、言い換えれば現在におけるまったく現在的な関心だけで読んでも、得るものはまことに大きい。是非、見田の論理的にして詩的な、そして密度の高い文章を玩味していただきたい。

最後に、見田宗介先生から直接教えを受けた者としての感想を述べさせてもらいたい。私は、この時評を読むと、ゼミでの先生の指導を思い出す。

本書には——論壇時評なのであたりまえだが——夥しい量の他人の文章や発言が引用され、解釈されている。それらの原典となる文章・発言に関して、多くの場合、それらを直接読んだときより、見田先生の本書での読解の方がおもしろい……とまで言ってしまうと語弊があるが、少なくとも、原典よりもはるかにきわだったかたちで——浮き彫りにでもするようなかたちで——「可能性の中心」「おもしろさの核」のようなものが抽出されている。原典を読んだだけでは気づかなかったポテンシャルが、その原典には孕まれていたことがわかるのだ。

これは、学部や大学院のゼミでの先生のコメントを思い起こさせる。しばしば、学生の発表はあまりおもしろくない。混乱していて、何を言いたいのかよくわからないことさえある。発表を終えると先生はそれにコメントする。先生はそれほど饒舌ではなく、短く話すだけなのだが、その発表のどこがおもしろかったのかを、まことに鮮やかに指摘する。発表を聴いていた学生たちは、「なるほど、そういうことだったのか」と感心する……だけではない。発表していた当人すらも、じぶんが言いたかったことはそういうことだったのか、と教えられ、感動するのである。先生は、本人よりも、その人が言いたいことを、その人が何にこだわり、どこで躓いているのかをよくわかっていた。先生は、「本人が言ったこと」ではなく、「本人が言うはずだったこと」を見抜いていたのだ。この論壇時評は、先生のこのような手際を思い起こさせる。

（社会学者）

註

（1）見田宗介先生は、二〇二二年四月一日に敗血症で亡くなられた。享年八四。先生の名を敬称抜きで呼ぶことは、私には非常に難しい。しかし、この解説を私の個人的な感想を超えたものにするために、ここでは敬称は省略する。

（2）この文章は、鶴見俊輔への批判として書かれている。まだ学生だった見田は、この吉本の文章のことを鶴見から教えられたという。「わたしが徹底的に批判されているんです。すばらしい論文です。ぜひ読んでみて下さい」。鶴見俊輔という思想家の器の大きさを伝えるエピソードではないか。思想そのものにとって、論争の勝敗などどちらでもよいことなのだ。

（3）先に引用したように、〈人間はなお荘厳である〉と言うとき、石牟礼は、「人間の上を流れる時間の一切が砂に埋もれ〈地質学の時間のように眺められる日〉」から〈人間〉を見ている。それは、〈人間〉が終わったあとに視点を設定し、〈人間〉の有限の持続を見ている、ということである。この視線は、宇宙飛行士の、宇宙空間から見返す視線、超越を超越する視線に似ている。つまり、ここで見いだされている有限（内在）は、無限（超越）に媒介された有限である。

索　　引

Ⅰ．人名，Ⅱ．紙名・誌名・書名，Ⅲ．論文・作品・特集名の別に分類し，いずれも五十音順に配列した。

人名索引

ア　行

カ 行

サ 行

タ 行

ナ 行

ハ　行

マ　行

ヤ 行

ラ 行

ワ 行

紙名・誌名・書名索引

（単行本にのみ『　』を付した）

ア　行

カ　行

サ　行

タ　行

ナ 行

ハ 行

マ 行

ヤ・ラ 行

論文・作品・特集名索引

ア 行

カ　行

サ 行

タ 行

ナ　行

ハ　行

マ　行

ヤ　行

ラ　行

ワ　行

本書は一九八七年四月、朝日新聞社より刊行されました。

本書中、現在の観点からは不適切と思われる表現が使用されていることがありますが、著者が物故していることや発表時の時代的背景に鑑み、原文どおりとしました。

著者
見田宗介（みた・むねすけ）
1937年、東京生まれ。社会学者。東京大学名誉教授。2022年逝去。
著書に『まなざしの地獄』『現代社会はどこに向かうか』『社会学入門』『現代社会の理論』『宮沢賢治』など、真木悠介の筆名で『自我の起原』『時間の比較社会学』『気流の鳴る音』など。

白いお城と花咲く野原——現代日本の思想の全景

2023年2月18日　初版印刷
2023年2月28日　初版発行

著　者　見田宗介
装　幀　松田行正
発行者　小野寺優
発行所　株式会社河出書房新社
〒151-0051
東京都渋谷区千駄ヶ谷2-32-2
電話03-3404-1201（営業）
03-3404-8611（編集）
https://www.kawade.co.jp/
印　刷　株式会社亨有堂印刷所
製　本　大口製本印刷株式会社

Printed in Japan
ISBN978-4-309-23122-8

見田宗介

まなざしの地獄

尽きなく生きることの社会学

日本中を震撼させた連続射殺事件を手がかりに、
60 ～ 70 年代の日本社会の階級構造と、
それを支える個人の生の実存的意味を浮き彫りにした名論考。
現代社会論必携の書。
解説・大澤真幸

ISBN978-4-309-24458-7

河出書房新社